FR

WITHDRAWN FROM
LORAS COLLEGE LIBRARY

PRUDENCE

TOME I

LIVRE D'HEURES

Il a été tiré de cet ouvrage :

200 exemplaires sur papier pur fil Lafuma numérotés de 1 à 200.

COLLECTION DES UNIVERSITÉS DE FRANCE
publiée sous le patronage de l'ASSOCIATION GUILLAUME BUDÉ

PRUDENCE

TOME I

CATHEMERINON LIBER

(LIVRE D'HEURES)

TEXTE ÉTABLI ET TRADUIT

PAR

M. LAVARENNE
Professeur à la Faculté des Lettres
de l'Université de Clermont-Ferrand.

PARIS
SOCIÉTÉ D'ÉDITION « *LES BELLES LETTRES* »
95, BOULEVARD RASPAIL
1943

Conformément aux statuts de l'Association Guillaume Budé, ce volume a été soumis à l'approbation de la commission technique, qui a chargé M. Pierre Fabre d'en faire la révision, en collaboration avec M. Lavarenne.

INTRODUCTION

I

PRUDENCE

SA VIE, SON ŒUVRE

Sa vie. La seule source que nous possédions pour la biographie de Prudence est son œuvre. Dans les 45 vers qu'il a donnés comme *Préface* au recueil de ses poèmes, il nous résume sa vie ; malheureusement il parle par périphrases vagues ; il faut deviner plutôt que comprendre. Çà et là, notamment dans ses récits de passions (*Peristephanon*), quelque passage nous met incidemment au courant d'un détail : voyage, visite d'une église, par exemple. Nos renseignements se réduisent donc à fort peu de chose.

Il naquit en 348 en Espagne, sans doute à Saragosse[1], peut-être à Calahorra ou à Tarragone ; il appelle chacune de ces trois villes : *nostra*. Sa famille devait être chrétienne, car il ne dit nulle part qu'il

1. Cf. Bergman, *Aurelii Prudentii Clementis Carmina* (*Corpus Scriptorum Ecclesiasticorum Latinorum, vol. LXI*), Vienne, 1926, *Prolégomènes*, p. ix et x ; idem, *Aurelius Prudentius Clemens, der grösste Christliche Dichter des Altertums*, Dorpat, 1921, p. 31.— La date de naissance est donnée par les vers 24-25 de la *Préface* de Prudence : *Saliae consulis... sub quo prima dies mihi*.

se soit converti ; et riche, car il fit les études qui étaient alors celles des enfants de la meilleure société. Il passa d'abord par l'école du grammairien ; c'est ce qu'il exprime simplement par ces mots : *Aetas prima crepantibus | Fleuit sub ferulis*, « mon enfance pleura sous les claques des férules » ; on sait qu'Horace parle du *plagosus Orbilius*, et que saint Augustin relate qu'il a été souvent battu à l'école : la pédagogie était alors simple et énergique... De là, il fréquenta les cours du rhéteur ; du moins interprète-t-on ainsi : *mox docuit toga... falsa loqui, non sine crimine*, « puis la toge virile (que l'on prenait à dix-sept ans) m'apprit à débiter de coupables mensonges ». Les exercices de rhétorique consistaient souvent à plaider le pour et le contre avec la même conviction, et ne s'embarrassaient guère de la formation morale du jeune homme.

Après avoir fini ses études, Prudence avoue qu'il s'est « amusé » quelque temps : « Puis la sensualité et l'effronterie, la luxure et la dissipation (quelle honte et quel remords !) souillèrent ma jeunesse de l'ordure, de la fange du vice ».

Mais il fallait choisir une carrière. Il se fit avocat, et son opiniâtreté dans les luttes du prétoire lui attira sans doute des désagréments, puisqu'il écrit : « Ensuite les procès fournirent des armes à mon caractère agité ; une obstination mauvaise à vouloir l'emporter me mit parfois dans une situation difficile ».

Du barreau il passa, comme c'est souvent le cas aujourd'hui encore, dans l'administration : « A deux reprises, dit-il, chargé d'appliquer les lois, j'ai gouverné des villes illustres ; j'ai rendu la justice aux bons, j'ai fait trembler les coupables ».

Son zèle fut récompensé par un avancement spécialement honorable. Il fut appelé à exercer à la cour impériale une haute charge, nous ne savons pas au juste laquelle [1].

A cinquante-sept ans, déclare-t-il, toujours dans sa *Préface*, voyant la neige de la vieillesse descendre sur sa tête, il se reprocha d'avoir donné trop au monde qu'il allait perdre, et pas assez au Créateur devant qui il allait bientôt comparaître. Il résolut, avant de mourir, de consacrer ses forces à célébrer en vers le Dieu du christianisme.

A vrai dire, la date donnée par l'auteur (c'est en 405 qu'il avait 57 ans) ne doit pas faire illusion. La *Préface* a été certainement composée, comme c'est presque toujours le cas, non pas avant, mais après tous les autres poèmes : une preuve évidente en est que Prudence y énumère ceux-ci (vers 37-42). C'est dire que, lorsque Prudence s'écrie : « Mettons-nous à l'ouvrage ! » cet ouvrage est achevé depuis quelque temps déjà. Mais à quelle date, antérieure à 405, chacun des poèmes a-t-il été composé? Nous n'en savons absolument rien, sauf pour le *Contre Symmaque*, que des allusions à des événements contemporains permettent d'attribuer à l'année 402 (ou début de 403) [2].

Il est probable [3] que Prudence avait déjà composé des vers avant ceux qui nous sont parvenus, car aucun de ses ouvrages ne trahit un débutant. En tout cas, seuls nous sont parvenus les vers dévots de sa vieillesse.

1. Cf. dans Puech, *Prudence*, thèse, Paris, 1888, chap. I, et dans Bergman, *Prudentius*, p. 38 sqq., les hypothèses plausibles sur la carrière administrative de Prudence.

2. Cf. Schanz, *Geschichte der römischen Litteratur*, 4e partie, 1re moitié, p. 249.

3. Cf. G. Boissier, *La fin du paganisme*, II, p. 107.

Que devint notre poète une fois qu'il se fut retiré de la vie publique? Certains passages de ses hymnes de la Journée (*Cathémérinon*) donnent l'impression qu'il fit partie d'une sorte de communauté pieuse, une ébauche de monastère. Mais nous sommes là, une fois de plus, réduits aux hypothèses. Enfin nous n'avons aucun renseignement ni sur la date, ni sur le lieu de sa mort.

Ses œuvres. L'œuvre de Prudence, qui compte plus de dix mille vers, se divise en deux parties [1].

Une partie lyrique, où le poète n'emploie pas moins de dix-huit mètres différents, comprend : 1° une série d'hymnes pour les différentes heures du jour et pour quelques fêtes de l'année : le *Cathémérinon* ; 2° une série d'hymnes, qui sont surtout des récits de « passions », en l'honneur d'un certain nombre de martyrs : le *Péristéphanon*.

Une partie didactique, en hexamètres dactyliques, comprend :

1° Un poème « sur la nature de Dieu », l'*Apothéosis*, où Prudence réfute un certain nombre d'erreurs relatives à la Trinité et à la divinité du Christ.

2° Un poème « sur l'origine du mal », l'*Hamartigénia*, où il s'attaque au dualisme gnostique de Marcion et expose la doctrine catholique sur le rôle corrupteur de Satan, le libre arbitre et les rémunérations posthumes.

3° La *Psychomachia*, épopée allégorique, où l'on voit les Vertus et les Vices, personnifiés sous la figure

1. Sur l'œuvre de Prudence, cf., outre la littérature de SCHANZ, LABRIOLLE, *Histoire de la Littérature latine chrétienne*², Paris, 1924, p. 599 sqq., et surtout la thèse de PUECH. — Pour les abréviations qui désignent les différents poèmes, cf. *infra*, p. XXXIV.

de jeunes guerrières, se livrer des combats singuliers à la manière des héros de Virgile.

4° Les deux livres *Contre Symmaque*, où l'auteur, sous prétexte de répondre (vingt ans après) à la *Relatio* de Symmaque, qui avait demandé le rétablissement de l'autel de la Victoire dans la salle du Sénat, se livre à une violente attaque contre les dieux du paganisme.

5° Une série de quatrains, vraisemblablement destinés à servir de légendes à des peintures représentant des scènes de l'Ancien et du Nouveau Testament : le *Dittochaeon*.

L'ensemble du recueil s'ouvre par la *Préface*, dont nous avons déjà parlé, et se clôt par un *Epilogue* plein d'humilité chrétienne.

A part la *Préface* et le *Contre Symmaque*, tous les poèmes portent un titre grec. Aussi a-t-on conjecturé que Prudence savait cette langue : là encore nous sommes réduits à l'hypothèse. Depuis les *Bucoliques* et les *Géorgiques*, les titres grecs étaient à la mode (*Metamorphoseon* d'Ovide, *Cynegetica* de Grattius, *Astronomica* de Manilius, *Satiricon* de Pétrone, etc.).

Ses qualités.

Il y a de belles qualités chez Prudence. Il se montre souvent un véritable poète, à l'expression pittoresque, aux images gracieuses et colorées. Citons par exemple ces descriptions des basiliques de Pierre et de Paul.

Interior tumuli pars est, ubi lapsibus sonoris
Stagnum niuali uoluitur profundo.
Omnicolor uitreas pictura superne tinguit undas,
Musci relucent et uirescit aurum,
Cyaneusque latex umbram trahit inminentis ostri :
Credas moueri fluctibus lacunar. Pe XII 37.

« A l'intérieur du tombeau (c'est-à-dire de l'église où se trouve le tombeau) l'eau sonore roule dans un bassin profond et glacé. Les peintures multicolores qui se trouvent au-dessus se reflètent dans les eaux transparentes. Les mousses du bassin chatoient, et donnent à leur tour au reflet de l'or une nuance verte ; l'eau bleue emprunte ses teintes à la pourpre qui la surmonte ; et inversement l'on croirait que les flots font remuer le plafond. »

Bratteolas trabibus subleuit, ut omnis aurulenta
Lux esset intus, ceu iubar sub ortu.
Subdidit et Parias fuluis laquearibus columnas,
Distinguit illic quas quaternus ordo.
Tum camiros hyalo insigni uarie cucurrit arcus :
Sic prata uernis floribus renident. Pe XII 49.

« Il a fait recouvrir les poutres de feuilles d'or, pour qu'à l'intérieur toute la lumière fût dorée, comme le soleil à son lever. Il a fait soutenir ce plafond aux reflets fauves par des colonnes en marbre de Paros, disposées sur quatre rangées. Puis, aux murs composés d'arcades cintrées, il a fait installer des vitraux magnifiques et variés : telles les fleurs printanières émaillent les prairies. »

Ajoutons ce passage du *Cathémérinon* :

Saluete, flores martyrum,
Quos lucis ipso in limine
Christi insecutor sustulit,
Ceu turbo nascentes rosas !

Vos prima Christi uictima,
Grex immolatorum tener,
Aram ante ipsam simplices
Palma et coronis luditis. C XII 125.

« Salut, fleurs des martyrs, qu'au seuil même de la vie le persécuteur du Christ a fauchées, comme la tempête fauche des roses naissantes. Premières victimes du Christ, tendre troupeau de sacrifiés, au pied même de l'autel, vous jouez naïvement avec la palme et les couronnes. » Ces deux strophes gracieuses sont les plus connues de toute l'œuvre de Prudence ; elles figurent dans le *Bréviaire romain*.

Son éloquence est parfois prenante, comme dans ce passage du *Contre Symmaque*, où il proteste contre l'habitude d'imputer à la bienveillance des dieux les succès dus en réalité à la valeur des Romains :

Non fero Romanum nomen sudataque bella,
Et titulos tanto quaesitos sanguine carpi.
Detrahit inuictis legionibus et sua Romae
Praemia diminuit, qui, quidquid fortiter actum est,
Adscribit Veneri : palmam uictoribus aufert.

S II 551. « Je n'admets pas qu'on dénigre le nom romain, et les guerres qui ont coûté tant de sueurs, et les honneurs acquis au prix de tant de sang. Il fait tort aux légions invincibles, il diminue la gloire de Rome, celui qui attribue à Vénus le mérite de tous nos combats généreux : il retire la palme aux vainqueurs » ;
ou dans ces vers énergiques, qui ne seraient pas indignes de passer en proverbes :

Nil est amore ueritatis celsius Pe X 388, « rien ne saurait primer l'amour de la vérité ».

Vincendi quaeris dominam ? sua dextera cuique est S II 35, « tu cherches la souveraine qui donne la vic toire ? C'est pour chacun sa main ».

N'omettons pas de louer son talent de versificateur, qui sait manier avec aisance les rythmes les plus variés.

Ses défauts.

Malheureusement il y a aussi chez lui de gros défauts, qui semblent tenir à la fois au temps où il vivait et à son origine espagnole. Il ne s'agit pas ici de son latin [1] : bien que sa syntaxe, et surtout sa prosodie, ne soient pas sans se ressentir des altérations que le parler de Rome subissait peu à peu depuis quatre siècles, il se sert, dans l'ensemble, correctement de la langue des poètes classiques. Nous voulons parler de son style. Son défaut le plus fréquent est une verbosité déconcertante, qui lui fait user sans mesure du pléonasme, de la redondance, et spécialement de l'énumération. C'était là des procédés en honneur depuis Apulée et Tertullien, et sans doute Prudence en avait-il fait l'apprentissage chez le rhéteur, qui ne lui avait pas seulement « appris à débiter de coupables mensonges », mais qui lui avait appris à les débiter avec le plus de mots possible. Il n'est pas rare de trouver plusieurs vers de suite remplis par une simple énumération. Voici la cohorte qui entoure Satan :

Ira, superstitio, maeror, discordia, luctus,
Sanguinis atra sitis, uini sitis et sitis auri,
Liuor, adulterium, dolus, obtrectatio, furtum.

H 395, « la colère, la superstition, la tristesse, la discorde, le deuil, l'horrible soif du sang, la soif du vin et la soif de l'or ; l'envie, l'adultère, la fraude, la jalousie, le vol ».

L'âme humaine est :

Ingenium purum, sapiens, subtile, serenum,
Mobile, sollicitum, uelox, agitabile, acutum.

1. Sur la langue de Prudence, cf. M. Lavarenne, *Etude sur la langue du poète Prudence*, Paris, 1933.

H 545, — (Dieu mit dans l'âme) « un naturel pur, sage, fin, serein, mobile, attentif, rapide, vif, pénétrant ».

Les peuples conquis par Rome forment une liste imposante :

Denique Romanus, Daha, Sarmata, Vandalus, Hunnus,
Gaetulus, Garamans, Alamannus, Saxo, Galaulas.
S II 808.

A cette verbosité s'ajoute trop souvent un manque de goût auquel le lecteur moderne est très sensible. Il se marque par des détails forcés, comme dans ces vers qui montrent, après le miracle de la multiplication des pains, le peuple rassasié :

Crudus conuiua resudat
Congeriem uentris, gemit et sub fasce minister.

A 719, « le convive a peine à digérer le copieux repas qui charge son estomac ; le serviteur (qui ramasse les restes) gémit sous la charge des corbeilles » ;

ou dans le geste de la vierge Eulalie qui crache à la figure du juge (Pe III 127).

Il se marque enfin par une prédilection pour les détails horribles, prédilection que Prudence partage avec ses compatriotes Sénèque et Lucain. L'occasion d'en introduire ne manquait pas dans les scènes de martyres ; l'auteur en a largement profité [1].

C'est encore un gros défaut que la négligence, la tendance à improviser, à se satisfaire trop souvent d'expressions vagues, entortillées, parce qu'elles remplissent le vers tant bien que mal. De là naît l'obscu-

1. Cf. par ex. C XII 118, Pe II 341-8, IV 109-116 ; 217-220 ; XI 55-58, Ps 32-35.

rité, qui rebute le lecteur : ne parlons pas de l'embarras du traducteur et du commentateur.

Si bien que, malgré ses belles qualités, Prudence ne saurait prétendre au titre de grand poète. Il lui a manqué ces deux dons essentiels : la finesse et la mesure.

Intérêt de son œuvre.

Et cependant son œuvre mérite d'être étudiée, car elle offre un intérêt historique certain. Elle est le témoignage le plus expressif d'un fait capital, qui est à la base de notre civilisation d'Occident : la réconciliation du christianisme et de la culture antique.

Le Christianisme et la Littérature.

A ses débuts, la secte de Jésus ne se souciait guère de la littérature. Composée surtout de petites gens sans instruction, qui attendaient avec confiance la fin prochaine du monde, elle n'avait que mépris pour les futilités prétentieuses des poètes comme des philosophes.

Mais lorsque la pureté de sa morale eut attiré au christianisme beaucoup d'esprits cultivés, une question se posa aux consciences scrupuleuses : fallait-il, en rompant avec les croyances antiques, rejeter comme réprouvés tous les chefs-d'œuvre païens dans lesquels on avait appris à l'école à connaître sa langue, à réfléchir aux problèmes moraux, à aimer la beauté ? Fallait-il renoncer au trésor de beaux vers et de doctes pensées lentement accumulé par les générations, d'Ennius à Virgile, de Cicéron à Quintilien ? Fallait-il se cantonner dans la *Bible*, livre sacré, mais livre étranger, où un latin pouvait bien chercher des enseignements religieux, mais non des modèles de langage, ni un plaisir esthétique ?

Dans la pratique, comme rien n'est aussi lent à changer que les programmes scolaires, les jeunes gens, même chrétiens, continuèrent jusqu'à la fin de l'empire à étudier Virgile, et Horace, et Cicéron. La religion et la littérature devinrent deux domaines distincts : le Christ régnait dans l'un, les dieux de l'Olympe, dans l'autre.

Ce divorce aurait pu, après le triomphe total de l'Église, aboutir à l'abandon des vieilles idoles littéraires, comme des autres. Une nouvelle forme de poésie, dont les hymnes de saint Ambroise, par exemple, peuvent nous donner une idée, aurait pu subsister seule, poésie simple, uniquement chrétienne, sans lien avec le passé national.

Réconciliation du Christianisme et de la culture classique.

Il n'en fut pas ainsi. Si grand était sur tout esprit latin le prestige des auteurs classiques, que, peu à peu, les chrétiens lettrés furent tourmentés de l'ambition de revêtir les idées nouvelles des formes traditionnelles.
Sur des pensers nouveaux, faisons des vers antiques, telle fut en somme leur devise. Le IVe siècle vit éclore des pastiches, même des centons, de Virgile ou d'Ovide, sur des sujets pris à l'Ancien ou au Nouveau Testament[1], et Juvencus essaya de faire de l'Evangile une épopée de trois mille vers.

Prudence ne fut pas le premier en date, mais il fut le plus grand de ces disciples chrétiens des classiques latins. Il montra que le christianisme pouvait inspirer des odes quasi pindariques : ce sont ses hymnes de la journée ; des épopées d'un genre nouveau, sur des mètres d'Horace : ses passions de martyrs ; une

1. Cf. LABRIOLLE, *Histoire*, p. 416 sqq.

épopée nouvelle aussi, parce qu'entièrement allégorique, dans un style virgilien : la *Psychomachie* ; des poèmes didactiques, en hexamètres comme le *De Natura rerum* ou les *Géorgiques* : l'*Apothéose*, l'*Hamartigénie* ; une satire à la Juvénal : le *Contre Symmaque*. C'était prouver que la doctrine de Jésus était une source féconde d'inspiration poétique, comme Chateaubriand voulut le prouver de nouveau quatorze siècles plus tard par son *Génie* et ses *Martyrs*. Mais c'était en même temps reconnaître que les anciens étaient des maîtres inégalables, dignes d'être éternellement étudiés, puisque la plus belle façon de présenter la doctrine nouvelle était de la revêtir des draperies antiques. C'était donc réconcilier le christianisme et la culture classique, la Vérité avec la Beauté.

Ainsi la tradition n'a pas été rompue. L'Eglise, qui aurait pu au moyen âge ne faire écrire dans les couvents que des missels, nous a conservé Virgile en même temps que Prudence, et nous a transmis par les copies de ses moines l'héritage, incomplet, mais encore riche, des lettres romaines. Et nous devons pour une part à Prudence d'avoir été formés par l'harmonieux équilibre de la douceur mystique de l'Evangile et du bon sens positif de l'esprit latin.

Le succès de Prudence.

Nous ignorons le succès que les poésies de Prudence rencontrèrent de son vivant. Il est curieux de constater qu'aucun de ses contemporains, ni saint Jérôme, ni saint Augustin, par exemple, ne parlent de lui[1]. Mais dès la seconde moitié du ve siècle

1. J. Bergman, *Prudentius*, p. 12, pense que les poésies de Prudence ont dû être très appréciées dès leur publication, et que le manque de témoignages contemporains sur cette admiration vient

son nom est mentionné comme celui d'un poète célèbre par SIDOINE APOLLINAIRE [1], par GENNADIUS (entre 480 et 500) dans son *De uiris illustribus*, puis, vers 500, par SAINT AVIT [2]; au VIe siècle, par GRÉGOIRE DE TOURS [3] et FORTUNAT [4]. ISIDORE, évêque de Séville (né vers 570, mort en 636), voit en lui le rival des grands classiques [5]. Au début du VIIIe siècle, BÈDE († 735) donne dans son *De Arte metrica* [6], des exemples tirés de la *Psychomachie*.

A partir du IXe siècle le nom de notre poète revient maintes fois dans les textes qui nous ont été transmis. C'est ainsi, par exemple, que THÉODULPHE, évêque d'Orléans, contemporain de Charlemagne, comprend Prudence dans l'énumération de ses auteurs favoris [7].

du peu de documents qui ont été conservés de cette période spécialement troublée.

1. *Lettre* 2,9 (écrite probablement vers 472) : *similis scientiae uiri hinc Augustinus, hinc Varro, hinc Horatius, hinc Prudentius lectitabantur.*

2. *De laude Castitatis*, vers 375 sqq. :

> *Has uirtutis opes, haec sic solatia belli*
> *Describens, mentis uarias cum corpore pugnas*
> *Prudenti quondam cecinit Prudentius ore.*

(*Patrologie Latine*, tome 59, col. 376).

3. *Miraculorum liber* I, *De gloria martyrum* 41 (cite A 449-483), 93 (cite Pe I 82 à 90); *ib.* 106 (cite C VI 133 à 136); *de gloria confessorum* 112 (109) (cite H 257) (P. L. tome 71, col. 741 à 743, 787, 800, 910); etc. Cf. BONNET, *Le latin de Grégoire de Tours*, Paris, 1890, p. 70.

4. *De uita S. Martini*, I, 19 (P.L. t. 88, col. 365) :

> *Martyribusque piis sacra haec donaria mittens*
> *Prudens prudenter Prudentius immolat actus.*

5. P.L. t. 83, col. 1110, *carmen* 9 :

> *Si Maro, si Flaccus, si Naso et Persius horret,*
> *Lucanus si te Papiniusque tedet,*
> *Par erat eximio dulcis Prudentius ore,*
> *Carminibus uariis nobilis ille satis.*

6. Chap. 14 (P.L. t. 90, col. 168) (cite Ps 98 et 594).

7. *Diuersoque potens prudenter promere plura*
> *Metro, o Prudenti, noster et ipse parens.*

Poèmes, 4, 1, 16 (P. L. t. 105, col. 331). En outre, il cite Ps 439-

ALCUIN le nomme dans le catalogue de la bibliothèque d'York[1] et transcrit tout au long la prière qui termine l'*Hamartigénie*. SAINT AGOBARD[2], archevêque de Lyon (né en 779, mort en 840 ou 841), le qualifie de *uir doctus*. LE RECLUS DE DONEGAL, dans son *Liber aduersus Claudium Taurinensem*, écrit en 828, fait de larges citations de ses œuvres[3]. RABANUS MAURUS, abbé de Fulda et archevêque de Mayence, dans son *De Vniuerso*, composé vers 844, donne plusieurs vers du *Contre Symmaque*[4] entre deux citations de Lucain ; et dans son *Excerptio de arte grammatica Prisciani* (chap. 2, *De litera*), il cite un vers de la *Psychomachie*[5] à côté d'un passage d'Horace. WANDALBERT[6], moine du monastère de Prüm (Rhénanie), dans le quatrième des poèmes qui servent d'introduction à son *Martyrologe* (terminé en 848), s'écrie :

Prudentique, Deum canendo uiuis.

HINCMAR, archevêque de Reims, écrit, probablement en 857, un traité de polémique[7] où il invoque l'autorité de notre auteur[8]. A la même époque, LOUP, abbé

440 dans son *Liber de ordine baptismi*, ch. 12 (P. L. t. 105, col. 231) ; H 931-2, C VI 5-8, C V 1-4, 157-164, dans son *De Spiritu sancto* (*ib.*, col. 276). Sur l'imitation de la *Psychomachie* dans les œuvres de THÉODULPHE, cf. notre édition de ce poème.

1. *De SS. eccl. Eborac.* (P. L. t. 101, col. 843). La prière (H 931 à 966) se trouve *ib.* col. 544.

2. *Contra libros IV Amalarii abbatis*, ch. 2 ; cite C VII 161-165 (P. L. t. 104, col. 340).

3. DUNGALUS RECLUSUS, P. L. t. 105. On a, aux col. 481, 485, 492 : A 443 à 8 ; Pe XI 189-190 ; Pe XII 55 et 56 ; Pe III 1 à 5 ; Ps 344 à 350 ; puis, du dernier paragraphe de la col. 519 à la col. 525, uniquement une suite d'extraits de Pe X, I, II, III, V, IV, XIV, VI, IX.

4. S I 90-91 ; 93 ; 96 à 98 (P. L. t. 111, col. 422).

5. Ps 163 (P. L. t. 111, col. 616).

6. P. L. t. 121, col. 583, vers 24.

7. *Ex sanctis scripturis et orthodoxorum dictis collectio de una et non trina deitate, ad repellendos Gothescalci blasphemias* (P. L. t. 125, col. 528 et 529).

8. Il cite C V 157 à 163 et De Tr. 1.

de Ferrières [1], ENÉE, évêque de Paris [2], font également mention de lui. ISON († 871), directeur éminent de l'école du Monastère de Saint-Gall, annote tous ses poèmes [3]. Prudence est encore nommé, vers 860, par OTFRID, dans une lettre qui accompagne son *Livre des Evangiles* [4], par ERMENRICH, moine d'Ellwangen, disciple de Walahfrid; par NOTKER LE BÈGUE (912), moine de Saint-Gall, élève d'Ison, dans sa *Notatio de illustribus uiris* [5].

Au xe siècle, l'archevêque BRUNO de Cologne († 965), frère de l'empereur Otto Ier, envoie, nous dit son biographe RUOTGER [6], les œuvres de Prudence à toutes les églises de son diocèse. FLODOARD [7], chanoine de Reims (894-966), dans son poème sur saint Cassien, rappelle que notre poète a chanté ce martyr. On trouve aussi des citations de lui chez HÉRIGER, directeur de l'école du monastère de Liège (vers 980) [8] et chez ABBON, abbé de Fleury-sur-Loire (mort en 1004), dans ses *Questions Grammaticales*. Au xie siècle, son nom se rencontre dans les écrits du cardinal HUMBERT [9] (vers 1057) et du cardinal PIERRE DAMIEN [10]. Au xiie siècle nous le voyons encore cité par RUPERT

1. *Epist.* 20 (P. L. t. 119, col. 467).
2. *Liber adu. Graecos,* chap. 90 sqq. (P. L. t. 121, col. 720).
3. Ces gloses sont reproduites dans l'édition d'AREVALO, Rome, 1788 (P. L. t. 59 et 60).
4. EBERT, *Histoire générale de la littérature du Moyen Age en Occident*, traduction Aymeric et Condamin, t. II, p. 124.
5. *De interpretibus Diuinarum Scripturarum*, ch. 7 (P. L. t. 131, col. 1000). « *Si uero etiam metra requisieris, non sunt tibi necessariae gentilium fabulae, sed habes in christianitate prudentissimum Prudentium* », etc.
6. *Monumenta Germaniae Historica*, *SS.* IV. 252 sqq.
7. *De Christi triumphis apud Italiam*, 14, 8, 3 (P. L. t. 135, col. 857).
8. EBERT III, p. 439.
9. *Contra Simoniacos* III, 24 (P. L. t. 143, col. 1179).
10. P. L. t. 145, col. 427.

de Deutz [1], Conrad de Hirschau [2], saint Martin de Léon [3], Sicard, évêque de Crémone [4], Pierre le Chantre [5], entre Horace et Lucain ; Hélinand [6], dans un de ses sermons ; au XIIIe siècle, par Roger Bacon [7] et par Henri d'Andeli [8], qui le place à côté de Virgile.

A côté de citations directes, on trouve un certain nombre d'emprunts et d'imitations [9] qui montrent

1. P. L. t. 167, col. 840, 1743, 1750, 1751 ; — t. 169, col. 1197, 1436 ; — t. 170, col. 101, 149.

2. *Dialogus super auctores*, p. 49 sqq. (éd. Scherss, Würzburg, 1889).

3. *Sermon* 7 (S I 90 sqq.) (P. L. t. 208, col. 567).

4. *Mitrale*, 4, 6 (Ps 21 ; Pe II 465 sqq.) (P. L. t. 213, col. 170).

5. Petrus Cantor, mort probablement en 1197, dans son *Verbum abbreuiatum* (P. L. t. 205, col. 46) ; il cite Ps 285 et attribue à Prudence un distique sur la patience, qui n'est pas de lui :

Maxima uirtutum patientia, pugnat inermis,
Armatosque solet uincere saepe uiros.

6. Helinandus, Frigidi Montis monachus, *sermon* 15 (P. L. t. 212, col. 602) cite Ps 286 et 285 ; *sermon* 26 (*ib.* col. 699), Ps 21-22 ; *chronique* (*ib.* col. 973), C V 125-6.

7. *Compend. stud. philos.* ed. Brewer, p. 462 (cite Ps 860 et 862).

8. Dans sa *Bataille des Sept Arts* (écrite vers 1240), vers 210 (*Œuvres*, éd. Héron, Paris, 1881).

9. On relève, par exemple, une vingtaine d'*imitations* de Prudence chez Walahfrid Strabo, précepteur de Charles le Chauve et abbé de Reichenau, et une quinzaine chez Florus, professeur à l'école de la cathédrale et diacre de Lyon au temps de saint Agobard ; à la fin d'une *Vie de saint Clément*, premier évêque de Metz (éditée par Sauerland, Trier, 1896), on trouve, tout simplement mis en prose, les vers Pe X 1136-1140 ; et, dans le courant du récit, les vers Pe I 97 à 115 sont reproduits presque textuellement (cf. Weyman, dans *Histor. Jahrbuch der Görresges.* 18 (1897), p. 360 et 362). L'influence de Prudence est encore sensible chez Alcuin, Sedulius, Heiric, dans l'*Ecbasis captiui* (xe siècle) (cf. Ebert, *Histoire générale de la Littérature du moyen âge en Occident*, trad. fr. Paris, 1883, t. II, p. 28, 33, 222, 319 ; t. III, p. 307), etc. Cf. encore une liste spéciale de citations dans notre édition de la *Psychomachie*. On trouvera dans la bibliographie qui termine notre *Etude sur la langue de Prudence*, § XIX, l'indication de nombreux articles où sont étudiés les emprunts faits à Prudence par divers auteurs du moyen âge. Cf. surtout M. Manitius, *Beiträge zur Geschichte frühchristlicher Dichter im Mittelalter*, Sitzungsberichte der Wiener Akademie der Wissenschaften, Phil. hist. Klasse 117 (1888), XII, p. 26 à 37, et 121 (1890), VII, p. 18 à 23 (toutefois

aussi que Prudence était abondamment étudié, et sincèrement admiré.

Aussi bien le grand nombre de manuscrits que le moyen âge nous a transmis de lui (cf. *infra*) suffit-il à prouver en quelle estime on le tenait [1]. Les humanistes de la Renaissance, comme ERASME, continuèrent à l'apprécier, et ses œuvres figurent parmi les premières que l'imprimerie naissante reproduisit.

Déclin de sa gloire.

A partir de ce moment néanmoins, la gloire de Prudence commença à décliner ; peut-être fut-il d'abord victime de la réaction contre le moyen âge, qui se produisit alors ; plus probablement le goût des nouvelles générations s'accommoda-t-il mal de ses défauts.

Intérêt historique de sa tentative.

De nos jours l'intérêt des lettrés se penche de nouveau sur lui, comme sur toute son époque tourmentée, qui n'est pas sans analogies avec la nôtre. Mais cet intérêt ne ressemble plus à l'admiration de jadis. On n'étudie plus guère en Prudence que le représentant le mieux doué, le plus caractéristique, de la poésie vers l'an 400. On ne demande plus tant à ses vers un plaisir d'ordre esthétique, encore que l'on puisse éprouver ce plaisir à la lecture de plus d'un passage, qu'une satisfaction d'ordre historique [2].

quelques-uns des noms qne nous avons cités ne figurent pas chez MANITIUS).

1. Ses œuvres figurent dans bon nombre de catalogues d'anciennes bibliothèques. Cf. BECKER, *Catalogi bibliothecarum antiqui* (Bonn, 1885), p. 322.

2. Nous avons donné, à la fin de notre *Etude sur la langue du poète Prudence*, la liste de tous les ouvrages et articles écrits sur Prudence de 1800 à 1932.

II

LES MANUSCRITS

Le nombre des manuscrits de Prudence est considérable : plus de trois cent dix[1]. En France, la Bibliothèque Nationale en possède à elle seule une trentaine[2]. On en trouve d'autres à Alençon, Arras, Auxerre, Avranches, Boulogne-sur-Mer, Dijon, Douai, Grenoble, Laon, Lyon, Montpellier, Orléans, Reims[3], Saint-Omer, Tours, Troyes, Valenciennes. A l'étranger, la Bibliothèque du Vatican en renferme plus de vingt ; le British Museum, une vingtaine ; la Bibliothèque Bodléienne d'Oxford, une douzaine ; celle de Munich, près de trente. Il y en a encore dans d'autres villes d'Italie, des Iles Britanniques et d'Allemagne ;

1. Bergman, édition du *Corpus*, p. xix.

2. Nous empruntons ces renseignements et ceux qui suivent à Bergman, *De codicibus Prudentianis*, Stockholm, 1910, qui donne le classement des mss. : 1° par pays, villes et bibliothèques (p. 8 à 59) ; 2° par âges (p. 62-65) ; 3° d'après leur contenu (p. 66 à 69). Depuis 1910 l'existence de quelques nouveaux mss. a été signalée à Bergman, mais il n'en a pas publié la liste, et il ne semble pas qu'ils présentent un grand intérêt, car son édition du *Corpus* (1926) n'en mentionne aucun.

3. Bibliothèque Municipale, Manuscrit n° 123 (viiie-ixe siècle), folio 1. Ce ms. renferme seulement une vingtaine de vers de Pe VI (142 sqq.). Il semble qu'il s'agisse d'une citation faite de mémoire, car non seulement il y a plusieurs grosses fautes (148 *circumstans* pour *circumstet* ; 151 *ignis* pour *hymnus* ; 154 *sonant* pour *sonent* ; 155 *blandus* pour *blandum* ; 156 *fretus* pour *freta* ; 158 *sacri* pour *acri* ; 159 *tegat* pour *tegens*), mais encore le scribe a intercalé dans ce passage d'autres vers de l'hymne (notamment 97 sqq.) ; le morceau se termine par une doxologie qui n'est pas de Prudence. Les vers sont écrits à la suite les uns des autres, comme de la prose ; les mots ne sont généralement pas séparés ; pourtant on trouve çà et là des signes de ponctuation. La valeur de ce ms. est minime ; son seul mérite est d'être l'un des plus anciens de Prudence. Bergman paraît avoir ignoré son existence. Il figure cependant au *Catalogue imprimé des mss. de la Bibliothèque de Reims*, et dans le *Repertorium hymnologicum* d'U. Chevalier (n° 13.834).

en Espagne, en Suisse, en Belgique, en Hollande, en Autriche, au Danemark ; avant la révolution russe, il y en avait un à Saint-Pétersbourg.

Un grand nombre de ces mss. ne contiennent qu'un poème, ou même un fragment de poème. Une soixantaine ne contiennent que la *Psychomachie* ; parfois elle est seule ; parfois elle est associée à des œuvres d'autres auteurs. Une trentaine seulement de mss. renferment les œuvres complètes (ou à quelques lacunes près[1]).

L'âge des mss. varie du VIe au XVIe siècle. La plupart ont été écrits du XIe au XVe siècle. Généralement les plus récents ont été copiés sur les plus anciens, ou sur les mêmes modèles que ceux-ci. Ils n'apportent donc, peut-on dire, aucune aide pour la constitution du texte.

Le savant éditeur de Prudence dans le *Corpus Scriptorum Ecclesiasticorum Latinorum* de Vienne, le Suédois J. Bergman, a passé de longues années à parcourir l'Europe pour recenser tous ces mss. Il a ainsi accompli un travail énorme (*inmensi fere laboris erat*, dit-il lui-même dans ses *Prolégomènes*, p. xx), qu'il serait aussi vain qu'ardu de vouloir refaire après lui.

Après avoir comparé entre eux tous les mss. qui présentaient quelque intérêt, Bergman les a ainsi répartis en classes et familles[2], par ordre de valeur décroissante :

1. Une vingtaine de mss., complets ou fragmentaires, sont ornés de dessins, parfois de peintures, qui servent surtout d'illustrations à la *Psychomachie*. Cf. R. Stettiner, *Die illustrierten Prudentiushandschriften*, Berlin, 1905 (une première partie en dissertation, Strasbourg, 1895) ; et surtout Helen Woodruff, *The illustrated mss. of Prudentius*, Cambridge, 1930 (49 pages ; fort intéressant par ses nombreux fac-simile).

2. Cf. J. Bergman, *De codicum Prudentianorum generibus et*

CLASSE A.

Elle a pour caractéristiques essentielles :

1° l'ordre des poèmes : les œuvres didactiques en hexamètres (ou tout au moins la majeure partie) sont placées entre C et Pe ;

2° l'absence de certains vers, vraisemblablement interpolés, qui figurent dans certains mss. de la classe B ; un vers après A 937, H pr 43, H 68, 191, six vers après H 858 [1].

FAMILLE *Aa*.

Elle se distingue par l'ordre des poèmes : Pe vient après A H Ps (dans la famille *Ab*, Pe vient après A H Ps S) et par un certain nombre de leçons communes. En outre, les vers interpolés, après H 68 et H 191, qui sont notés en marge dans les mss. de la famille *Ab*, ne sont pas donnés du tout dans la famille *Aa* ; au contraire trois vers interpolés dans S (avant ou après S I 367, après S I 480 et S II 143) figurent dans la famille *Aa* et pas dans la famille *Ab*.

Les meilleurs mss. de cette famille sont :

A. — N° 8084 du fonds latin de la Bibliothèque Nationale (Paris), appelé *Puteanus* par les précédents éditeurs, parce qu'il appartint autrefois à Jacques

uirtute, Vienne, 1908 (comptes rendus de l'Académie impériale des sciences de Vienne, 157e volume, 5e mémoire ; 64 pages, plus trois fac-simile) ; IDEM, *Prolégomènes* de l'édition du Corpus, p. XXIII sqq. Le choix des mss. et leur classement par BERGMAN n'ont été l'objet que de rares critiques ; cf. notamment KLINGNER, dans *Gnomon* 6 (1930), p. 39 à 52, et G. MEYER, *Prudentiana*, dans *Philologus* 87 (1932), spécialement p. 249, n. 2, et p. 353 sqq.

1. Cf. les tables comparatives dressées sur ce point par BERGMAN, *De codicum*, etc., p. 30 et 31.

du Puy (mort en 1656). Ce ms., de beaucoup le plus ancien et le plus précieux de tous ceux de Prudence, est en même temps l'un des plus remarquables de la Bibliothèque Nationale[1]. Il semble avoir été copié en Italie, au VIe siècle ; l'écriture est la capitale dite « rustique » ; les mots ne sont pas séparés ; il n'y a aucun signe de ponctuation. Il contient seulement C A H Ps Pe I à V 142 ; le début (Pr) et la fin (fin de Pe S D E) sont perdus.

Malgré sa haute valeur ce ms. n'est pas exempt de fautes, par ex. : C V 24 *ignem* pour *imbrem* ; Ps 545 *uenus* pour *genus* ; Ps 540 *anathemata uillis* pour *anathema fauillis* ; Ps 845 *supremus* pour *sol primus* ; Pe II 397 *pauor* pour *uapor*. Ces fautes sont plus abondantes dans Ps que dans les autres œuvres.

Mais ce ne sont guère que des fautes de copie (cf. BERGMAN, *De codicum, etc.*, p. 40-41) ; il ne semble pas que le scribe ait altéré sciemment le texte en voulant l'amender, comme il est arrivé dans d'autres mss. Par son antiquité, par son absence d'interpolations, **A** peut donc être considéré à bon droit comme le témoin le plus fidèle du texte original.

C. — N° 223 de la Bibliothèque du collège *Corpus Christi* à Cambridge, copié vraisemblablement en France au IXe siècle, en écriture carolingienne ; quelques gloses se rencontrent entre les lignes et dans la marge. La page où étaient Pr et les deux premiers vers de C I manque. Pe X est placé

1. Plusieurs études ont été consacrées à ce ms., notamment : U. ROBERT, *Notice paléographique sur le ms. de Prudence N° 8084 du fonds latin de la Bibliothèque Nationale* (Mélanges GRAUX, Paris, 1884, p. 405 sqq.) ; E. O. WINSTEDT, *The spelling of the sixth century ms. of Prudentius* (*Class. Rev.* 18 (1904), p. 45 sqq.). On trouve un fac-simile d'une page de ce ms. dans J. BERGMAN, *De codicum Prudentianorum generibus et uirtute.*

en tête de Pe (A au contraire donne Pe I-V directement après Ps).

D. — N° B 4-9 (4446) de la Bibliothèque de la cathédrale de Durham (« *Dean and Chapter Library* ») copié probablement en Angleterre (l'écriture est anglo-saxonne) au début du xe siècle sur le même archétype que C ; quelques différences de texte proviennent sans doute d'une comparaison avec d'autres mss. Il y a en marge des variantes ; en marge et entre les lignes, des gloses. Ce ms. renferme les œuvres complètes. L'ordre des poèmes est le même que dans C ; les pages contiennent le même nombre de vers (34), et le plus souvent les fautes de copie sont les mêmes.

Malgré la parenté qui existe entre A, C et D, on trouve des différences importantes de texte entre A d'une part, et l'archétype de C D de l'autre ; par exemple, dans Ps : pr 31 *oues* A, *greges* C D ; pr 41-42 manquent dans A, figurent dans C D ; 404 *ut* A, *et* C D ; 515 *rigor* A, *uigor* C D ; 531 *foedere* A, *foedera* C D ; 578 *nudata induuiis* A, *nuda in diuitiis* C D ; 687 *olea* A, *oleo* C D ; etc. C et D, bien que généralement d'accord, présentent aussi quelques divergences entre eux, par exemple : Ps 29 *ferire* C, *perire* D ; 64 *triumphum* C, *tropheum* D, etc.

FAMILLE *Ab*.

Elle est caractérisée par l'ordre des poèmes : Pr C A H Ps S Pe 10, 1, 2, 3, 5, 4, 14, 6, 7, 9, 8, 11, 12, 13 ; D E (ou E D) ; par certaines leçons spéciales (par exemple aux vers C X 9-16 ; *possent* Ps 298), et certaines fautes d'orthographe.

Les meilleurs mss. en sont :

B. — N° D 36 Sup. de la Bibliothèque Ambrosienne à Milan [1] ; 21 cahiers sur 29 datent du VIIe siècle, et ont été écrits (en onciale, sans séparation entre les mots) probablement à Bobbio (Italie) ; le reste semble avoir été copié pour remplacer les huit cahiers primitifs perdus, au IXe ou au début du Xe siècle, sur un ms. de la famille *Bb* (cf. *infra*) et n'a pas été utilisé par Bergman pour l'établissement du texte. Ce ms., bien qu'il soit fort incomplet et qu'il renferme de nombreuses fautes de copie (par ex. Ps 500 *olamca* pour *classica* ; 498 *sacerdotealumini* pour *sacerdotes domini*), est précieux par son antiquité, et parce qu'il a été copié sur un bon archétype. Les poèmes y sont rangés dans un autre ordre que dans les autres représentants de la famille *Ab* : C Pe A H Ps S ; les hymnes de C et de Pe sont d'ailleurs entremêlés : C 7 à 10, Pe 11, 13, 12, C 11, 12, Pe 10, 1, 2, 3, 5, 4, 14, 6, 7, 9. Mais d'autres indices [2], et notamment l'inscription qui figure à la fin de C 12 : *finit cathemerinon, incipit apostheoses* (sic), font croire que l'archétype de ce ms., comme celui de A, portait l'ordre C A H Ps S Pe ; l'ordre a sans doute été changé par le copiste de B, peut-être dans le désir de placer ensemble tous les poèmes lyriques.

V. — N° Reg. 321 de la Bibliothèque du Vatican. Ce manuscrit est complet ; il semble avoir été écrit en France au début du Xe siècle. L'écriture est la minuscule ; de nombreuses gloses se trouvent dans la marge et entre les lignes. L'ordre des poèmes est :

1. Ce précieux ms. a été l'objet de plusieurs études, notamment : E. O. Winstedt, *The Ambrosian ms. of Prudentius* (*Classical Review* 19, 1905, p. 54-57) ; C. Pascal, dans *Studi Italiani di filol. class.* 13, 1905, p. 75 sqq. Fac-simile d'une page dans Bergman, *De codicum...*

2. Cf. Bergman, édition du *Corpus*, p. xxxvi sqq.

C A H Ps S Pe 10 Pe E D. C'est ce ms. que Dressel, qui le désigne dans son édition par la lettre α, regardait comme le meilleur de Prudence, à tort selon Bergman : *Bonus est codex, sed nullo modo optimus, ne in sua quidem familia primarium tenet locum, qui iure codici Ambrosiano D* 36 *sup.* (= B) *tribuendus est.*

N. — N° 8305 du fonds latin de la Bibliothèque Nationale ; ms. complet, du xe siècle ; copié, avec d'assez nombreuses fautes, sur un excellent archétype ; corrections nombreuses, souvent malheureuses, faites par un réviseur dont l'encre plus pâle se distingue facilement de celle du copiste.

CLASSE B.

Famille *Ba*.

Elle présente l'ordre : Pr, C 1 — 10, Pe 1, 5, 4, 6-9, 11-14, 2, 3, 10 ; C 11, 12 ; A H Ps S D E ; et un certain nombre de leçons particulières (par ex. : C V 22 *alentibus* pour *olentibus*). Le copiste de l'archétype de cette famille semble avoir consulté, en même temps que l'exemplaire de la famille A*a* qu'il copiait, un autre ms. appartenant à la famille A*b*.

Les meilleurs mss. en sont :

P. — N° 8086 du fonds latin de la Bibliothèque Nationale, du début du xe siècle ; écriture carolingienne, bien conservée ; quelques annotations marginales et interlinéaires. Grande lacune de H 454 à Ps 811.

E. — N° Burm. Q 3 de la Bibliothèque de l'Université de Leyde, du début du xe siècle ; complet, sauf la fin de E.

FAMILLE *Bb*.

On y trouve l'ordre : Pr C Pe E D A H Ps S ; dans Pe, l'ordre : 1, 5, 2, 11, 13, 12, 4, 14, 3, 6, 7, 9, 8, 10 ; — quelques titres d'hymnes légèrement différents des autres mss., par ex. C X : *hymnus circa exsequias defunctorum* (au lieu de : *defuncti*) ; — quelques leçons particulières. Les *h* sont nombreux, parfois sans raison : *archanum*, *cohercere*. Ce détail, joint au fait que les mss. de cette famille se trouvent surtout dans les pays de langue allemande, fait penser que leur archétype était d'origine germanique. C'est à cette famille qu'appartient le plus grand nombre de mss.

Les meilleurs sont :

M. — N° 374 de la Bibliothèque du Monastère du Mont-Cassin (Italie), copié, d'après l'écriture, en Italie au IXe siècle. Le début de A manque jusqu'au vers 187. Contrairement aux autres mss. de cette famille, M présente l'ordre suivant pour Pe : 10, 2, 3, 8, 9, 14, 4 puis C, puis Pe 1, 5-7, 13, 12. Les vers interpolés signalés plus haut en donnant les caractéristiques de la classe A, y manquent.

O. — N° 3 de la Bibliothèque de *Oriel College* à Oxford ; ce ms., du Xe siècle, est en belle écriture ressemblant à celle de l'époque carolingienne ; il renferme quelques gloses et annotations marginales. Malheureusement A H Ps y manquent.

S. — N° 136 de la Bibliothèque municipale de Saint-Gall (Suisse) (*Stiftsbibliothek*), du IXe siècle ou du début du Xe siècle, en minuscule carolingienne ; présente quelques lacunes. Les cinq interpolations signalées ne figurent qu'en marge.

U. — N° 264 de la Bibliothèque municipale de

Berne, de la fin du IXe siècle ; l'écriture ressemble à la carolingienne ; il est orné de très belles miniatures en couleur représentant surtout des scènes de martyres. Deux grandes lacunes existent dans Ps (284-520 et 641-915).

Il faut ajouter à ces douze mss., pour l'établissement du texte de Ps seulement :

W. — N° Reg. 2078 de la Bibliothèque du Vatican, du IXe siècle, copié sur B, comme le prouvent une grande lacune commune et d'autres indices ; ne contient que Ps, sans la préface. Intéressant parce qu'il montre comment naissent les fautes dans une copie.

K. — N° 23 de la Bibliothèque du Collège *Corpus Christi* à Cambridge ; du XIe siècle. Ce ms. est de la famille *Aa* ; il contient, outre Ps, Pe et les 29 premiers vers de S I pr. Il est orné de dessins avec légendes au-dessous, que l'on retrouve dans des mss. postérieurs.

R. — N° 307 de la Bibliothèque d'Orléans, du XIe siècle ; ne renferme que Ps, du vers 111 à la fin, Pr et dix vers de C III. On ne peut apparenter avec certitude ce ms. avec aucune des familles étudiées, mais il semble avoir été copié sur un archétype ancien.

On peut représenter la parenté de ces divers mss. entre eux à l'aide du stemma suivant (d'après BERGMAN) :

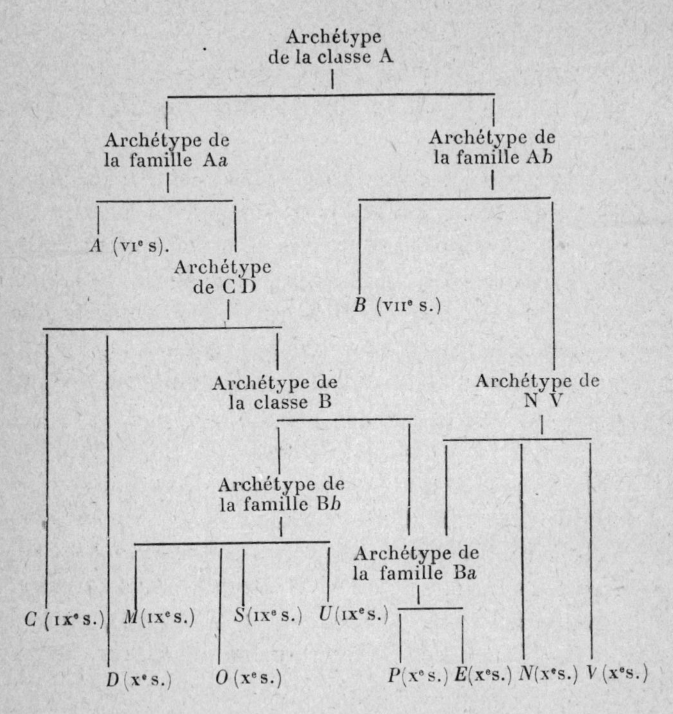

C'est surtout en recourant au témoignage des deux plus anciens mss., A et B, que Bergman a établi son texte. A leur défaut, il s'est servi de préférence, pour les autres poèmes que S, des mss. de la famille *Aa*, qui, spécialement en raison de l'absence des vers suspects indiqués plus haut dans H, semble la plus proche de l'archétype original ; pour S, au contraire, il a donné la préférence à la famille A*b*. En quelques endroits il a d'ailleurs utilisé les leçons des meilleurs mss. des autres familles. Les raisons de son choix se trouvent exposées, pour chaque passage, dans son ouvrage de *De codicum*, etc., p. 40 à 56. Après avoir attentivement étudié sa discussion, nous ne croyons pas pouvoir mieux faire que d'adopter ses conclusions sur la plupart des points. Nous n'avons pas cependant négligé les utiles suggestions des critiques qui ont essayé, après la publication de l'édition du *Corpus*, d'amender encore, en plusieurs places, le texte de Prudence.

LES ÉDITIONS

Dès les débuts de l'imprimerie, on s'empressa d'éditer les œuvres de Prudence, comme on les avait copiées avec zèle au moyen âge. Citons, comme éditions complètes, celles de [1] :

1492 imprimée à Deventer (Hollande) (sans indication de lieu ni de date, d'ailleurs) ;

1501 à Venise chez ALDE ;

SICHARDUS, à Bâle, 1527 ;

GISELINUS, à Paris, 1562 ; seconde édition en 1564, revue par PULMANNUS ;

WEITZIUS, à Hanau, 1613 ;

HEINSIUS, à Amsterdam (Elzévir), 1667, qui marqua un sérieux progrès dans l'établissement du texte ;

CHAMILLARD, à Paris, 1687, qui reproduit le texte de HEINSIUS, mais y ajoute une paraphrase en prose latine (malheureusement avec un bon nombre de contresens) et un index ;

AREVALO, à Rome, 1788 ; l'éditeur avait consulté pour établir son texte de nombreux mss. du Vatican ; ses prolégomènes et son commentaire sont copieux et

1. Cf. BERGMAN, édition du *Corpus*, pages XLVIII-LIII, qui en cite dix ; et surtout DRESSEL (cf. *infra*), p. XXV-XLVI, qui en cite une soixantaine.

souvent utiles. Cette édition a été reproduite en 1862 dans la *Patrologie latine* de MIGNE ;

TEOLI, à Parme, 1788 (texte d'HEINSIUS, commentaire insignifiant) ;

Londres 1824 ; texte de TEOLI ; paraphrase, commentaire et index de CHAMILLARD ;

OBBARIUS, à Tübingen, 1845 ;

DRESSEL, à Leipzig, 1860, dont le texte repose surtout sur le ms. *Vaticanus Reg.* 321 (V dans BERGMAN, α dans DRESSEL) ; commentaire insignifiant ; le texte renferme quelques fautes d'impression qui viennent d'OBBARIUS ;

LANFRANCHI, à Turin, 1896 (texte de TEOLI).

L'édition de BERGMAN dans le *Corpus Scriptorum Ecclesiasticorum Latinorum* de Vienne, volume LXI, 1926, a relégué dans l'ombre, au point de vue de la constitution du texte, toutes les éditions antérieures. Les prolégomènes, dont la plus grande partie traite des mss., sont particulièrement précieux ; cinq index (références scripturaires, imitations, noms propres, matières, mots) donnent de bonnes indications.

Le *Cathémérinon* a été traduit en prose française par l'abbé A. BAYLE [1], l'*Apothéose* en vers allemands par Cl. BROCKHAUS [2], l'*Hamartigenia* en prose anglaise par J. STAM (Amsterdam, 1940), la *Psychomachia* en prose française par nous-même (Paris, 1933), le *Contre Symmaque* en prose allemande par M. MANITIUS [3], le *Péristéphanon* en italien par C. MARCHESI [4]. Mais il n'exis-

1. A la suite de son *Étude sur Prudence*, Paris, 1860.

2. A la suite de son livre : *Aur. Prudentius Clemens in seiner Bedeutung für die Kirche seiner Zeit*, Leipzig, 1872.

3. *Mären und Satiren aus dem Lateinischen* (*Bücher der Weisheit und Schönheit*, herausgegeben von J.-E. von GROTTHUSS, Stuttgart, 1905).

4. *Le Corone di Prudenzio, tradotte e illustrate*, Roma, 1917. Une traduction de C Ps et Pe en vers allemands a été donnée à Vienne

tait jusqu'ici aucune traduction en langue moderne des œuvres complètes de Prudence. Puissions-nous, malgré l'obscurité de certains passages, n'avoir pas trahi la pensée du poète !

en 1820 par J.-P. Silberts, mais Brockhaus, p. 12, la déclare inutilisable. Un certain nombre de fragments ont été traduits par divers auteurs au cours d'articles ou de chapitres consacrés à Prudence. On en trouvera la liste dans notre *Etude sur la langue du poète Prudence*, p. 612 sqq.

ABRÉVIATIONS

employées pour désigner les œuvres de Prudence.

A = Apotheosis
C = Cathemerinon
D = Dittochaeon
De Tr. = De Trinitate
E = Epilogus
H = Hamartigenia
Pe = Peristephanon
Pr = Praefatio
Ps = Psychomachia
S = Contra Symmachum

pr, ajouté à l'abréviation d'une œuvre, signifie *préface* de cette œuvre.

NOTICE[1]

Cathemerinon liber signifie : « Recueil de chants de tous les jours ». C'est en effet à célébrer les différents moments de la journée : l'aube, le matin, le début et la fin des repas, le soir, enfin l'approche du sommeil nocturne, que sont consacrés les six premiers poèmes. Les trois suivants : hymne pendant le jeûne, hymne après le jeûne, hymne pour toute heure, peuvent se rattacher, par un lien assez lâche, il est vrai, au même sujet. En revanche les trois derniers ne sont plus des chants de tous les jours, puisqu'ils célèbrent les funérailles, Noël, l'Epiphanie.

Toutes les religions ont eu et ont encore leurs hymnes. On en trouve dans les Védas de l'Inde comme dans le culte de la vieille déesse latine Dea Dia. La Révolution française, qui fut par certains côtés une explosion mystique, a produit la *Marseillaise*, et la foi dans le socialisme universel a fait naître l'*Internationale*. Chaque fois qu'une croyance émeut profondément des hommes, elle cherche à s'extérioriser sous forme de chants lyriques.

Le christianisme, fils du monothéisme juif, avait trouvé dans la littérature hébraïque un héritage impo-

1. On lira avec intérêt le chapitre consacré au Cathémérinon par Puech dans sa thèse (*Prudence*, Paris, 1887), p. 75 à 101. La liste des ouvrages parus sur le *Cathémérinon* entre 1800 et 1933 se trouve dans notre *Etude sur la langue du poète Prudence*, Paris, 1933 (Bibliographie).

sant d'hymnes sacrés : les Psaumes. Ces poèmes, où l'âme d'Israël exprime tour à tour son repentir, ses plaintes, sa reconnaissance envers Iaweh, avaient été très vite admirés et adoptés par les premiers chrétiens ; au IVe siècle, beaucoup de fidèles les savaient par cœur. Saint Luc avait introduit dans son Évangile quelques cantiques : le *Magnificat*, le *Nunc dimittis*. Par la suite, saint Hilaire de Poitiers (mort en 367) avait composé quelques hymnes, dont il ne nous reste malheureusement que des fragments. Saint Ambroise (mort en 397) avait écrit l'*Aeterne rerum conditor*, le *Deus creator omnium*, le *Iam surgit hora tertia*, le *Veni Redemptor gentium*, et probablement d'autres morceaux encore. L'orient grec devait à Grégoire de Nazianze (328-389) et à Synésios de Cyrène (370-413) de beaux chants lyriques. En écrivant des hymnes, Prudence se conformait donc à une tradition déjà établie chez les chrétiens.

Mais il y a, entre l'œuvre de ses prédécesseurs latins et la sienne, une différence importante. Saint Hilaire, saint Ambroise avaient, semble-t-il, borné leur ambition à mettre à la disposition des fidèles des pièces assez courtes, destinées à être chantées en commun dans les assemblées du culte. Prudence eut certainement des visées, ne disons pas plus hautes, mais en tout cas autres. Il voulut faire une œuvre plus précisément littéraire, des poèmes destinés à être *lus par des lettrés* [1]. Il se mit, dans ce but, à l'école des grands classiques.

L'imitation de Virgile se manifeste surtout dans la *Psychomachie* [2]. Dans le *Cathémérinon*, c'est Horace

1. La longueur des hymnes montre bien qu'elles n'étaient pas destinées à être chantées en chœur.

2. Voir notre édition-traduction de ce poème, Paris, 1933.

que Prudence semble prendre pour modèle. C'est en effet surtout à lui qu'il emprunte les rythmes très variés dont il use : trimètre ïambique [1], petit asclépiade [2], grand asclépiade [3], glyconique [4], strophe saphique [5], bien qu'il se serve aussi d'autres formes de vers, par exemple du dimètre ïambique [6]. Il accuse encore son intention par des imitations littérales [7]. Enfin, de même qu'Horace avait orné certaines de ses odes de rappels de légendes mythologiques [8] ou de souvenirs historiques [9], Prudence introduit dans ses hymnes des récits tirés de la Bible, comme l'épisode de Daniel et d'Habacuc [10], ou celui du père de Tobie [11]. Toutefois, si notre poète prend ouvertement Horace pour modèle, il sait garder vis-à-vis de lui son indépendance, et son imitation n'a rien du plagiat ni du pastiche.

Le *Cathémérinon* ne manque pas de mérites. On y trouve des descriptions gracieuses, comme celles du paradis terrestre [12], des lampes qui ornent la voûte d'une église [13], et les vers si connus sur les saints Innocents qui, au ciel, jouent naïvement au pied de l'autel avec leurs palmes et leurs couronnes de martyrs [14]. Des sentiments sincères s'y expriment çà et là d'une

1. C. 7 ; Hor. *Epode* 17.
2. C. 5 ; Hor. *Od.*, 1, 1.
3. 3e vers des strophes de la *Préface* ; Hor. *Od.* 1, 11.
4. 1er vers des strophes de la *Préface* ; Hor. 4e vers des strophes de l'*Ode* 1, 6.
5. C. 8 ; Hor. *Od.* 1, 2.
6. C. 1, etc.
7. On trouvera ces imitations notées au-dessous du texte latin.
8. Par ex. *Od.* 4, 6, 4 à 24 (sur Achille).
9. Par ex. *Od.* 4, 4, 49 sqq. (sur Hannibal).
10. C. 4, 37-72.
11. C. 10, 69-80.
12. C. 3, 101-105 ; C. 5, 113-120.
13. C. 5, 141-144.
14. C. 12, 125-132. Cf. *supra*, p. X-XI.

manière émouvante : piété envers le Christ[1], respect des morts[2], espoir de la vie future[3]. Malheureusement quelques graves défauts viennent gâter ces qualités réelles. D'abord la composition est généralement lâche : le poète passe souvent d'une idée à une autre par une association plus ou moins inattendue. C'est ainsi que dans l'hymne V, « pour l'heure où l'on allume les lampes », la vue des lumières l'amène à penser au Buisson ardent de Moïse, puis à la colonne de feu des Hébreux dans le désert ; de là il entreprend le récit de la traversée de la Mer Rouge, digression qui, avec le rappel des miracles subséquents (l'eau qui jaillit du rocher, la manne et les cailles), ne remplit pas moins de 68 vers sur 164. D'autre part, le style est souvent prolixe : pléonasmes, redondances, énumérations impatientent le lecteur[4]. Quelques exagérations choquent notre goût moderne[5]. L'expression est plus d'une fois négligée, entortillée, voire obscure[6]. Ces défauts, qui tiennent sans doute surtout à l'époque où écrivait Prudence, peut-être aussi pour une part à son tempérament d'Espagnol, trop souvent improvisateur, nous empêchent de pouvoir considérer le *Cathémérinon* comme un chef-d'œuvre. Néanmoins cette tentative pour créer un lyrisme à la fois chrétien d'inspiration et classique de forme témoigne chez son auteur d'un talent qui est loin d'être à dédaigner, en même temps qu'elle nous renseigne d'une manière intéressante sur les aspirations des chrétiens lettrés à la fin du IVe siècle.

1. C. 3, 1-10 ; C. 5, 1-4, etc.
2. C. 10.
3. C. 10, *passim*.
4. Cf. *supra*, p. XII sqq. et notre *Etude*, §§ 1569 sqq. Comme exemples d'énumérations, cf. notamment C. 4, 82-84 ; 9, 109-114.
5. Cf. par ex. C. 7, 163-165.
6. Cf. par ex. C. 3, 91-92 ; C. 11, 52.

*
* *

L'Eglise catholique a introduit dans le *Bréviaire* quelques vers du *Cathémérinon* ; ce sont : quatre strophes de l'hymne 1 (strophes 1, 2, 21, 25) ; quatre strophes de l'hymne 2 (strophes 1 et 2, puis une strophe formée des vers 48-49-52-57 ; et une strophe formée des vers 59-60-67-68) ; quatre strophes de l'hymne 12 : celles qui commencent par les vers 1, 77, 95 et 125. Ces strophes ont été traduites, avec les autres hymnes du bréviaire romain, par Corneille et par Racine.

Le *Cathémérinon* entier a été déjà traduit une fois en français par l'abbé Bayle, en 1860, à la suite de son *Etude sur Prudence* (cf. *supra*, p. XXXIII).

Dans la version que nous offrons aujourd'hui au public, on remarquera que quelques hymnes ont été traduites en vers blancs. Dans le corps de ces vers il nous est arrivé d'employer, contrairement à l'usage habituel, des syllabes finales composées d'une voyelle suivie d'un *e* muet, sans tenir compte de la présence de cet *e* muet, qui en réalité ne s'entend pas ; par exemple : *Car, libérée de soucis, l'âme* (C 6, 33). Nous nous excusons de cette liberté auprès des lecteurs qu'elle pourrait choquer.

*
* *

M. Pierre FABRE a bien voulu m'accorder pour la révision de ce volume le précieux concours de sa science étendue et de sa conscience scrupuleuse. Je lui dois beaucoup de rectifications et de suggestions utiles. Je tiens à lui en exprimer ici ma très sincère et bien amicale reconnaissance.

PRÉFACE

Arrivé au seuil de la vieillesse, le poète raconte, brièvement et par périphrases, sa vie passée ; il énumère, toujours par périphrases, ses œuvres, et espère qu'elles lui mériteront le ciel.

Strophe composée d'un glyconique, d'un asclépiade mineur et d'un asclépiade majeur[1].

J'ai déjà, si mon compte est juste, vécu dix lustres ; la révolution du ciel y ajoute pour la septième fois une année, pendant que je jouis de ce soleil qui roule sans fin autour de la terre.

Le terme de ma carrière est imminent; et voici que
5 Dieu fait approcher de moi les jours voisins de la vieillesse. Qu'ai-je fait d'utile, moi, dans un si long espace de temps ?

Mon enfance a pleuré sous la férule sonore[2]. Bientôt la toge m'apprit, corrompu par les vices, à dire des mensonges, non sans crime.

10 Puis une folie de passion, une dissipation effrontée (quelle honte et quel remords !) souilla ma jeunesse de l'ordure, de la boue de la débauche.

Ensuite les procès fournirent des armes à mon caractère agité ; une obstination mauvaise à vouloir
15 l'emporter risqua de pénibles mésaventures.

A deux reprises, chargé d'appliquer les lois, j'ai tenu les rênes de villes illustres ; j'ai rendu la justice aux bons, j'ai fait trembler les coupables.

1. Cette strophe semble une création originale de Prudence.

2. Sur le sens de ces périphrases, cf. le début de notre Introduction. Sur les châtiments à l'école, cf. Hor. *Ep.* 2, 1, 70 ; Quint. 1, ch. 3; Auson. *Liber protrepticus*, 24 sqq. (p. 262 Peiper) ; etc.

PRAEFATIO

Per quinquennia iam decem,
ni fallor, fuimus; septimus insuper
annum cardo rotat, dum fruimur sole uolubili.

Instat terminus, et diem
uicinum senio iam Deus adplicat: 5
quid nos utile tanti spatio temporis egimus?

Aetas prima crepantibus
fleuit sub ferulis; mox docuit toga
infectum uitiis falsa loqui, non sine crimine.

Tum lasciua proteruitas 10
et luxus petulans (heu pudet ac piget!)
foedauit iuuenem nequitiae sordibus et luto.

Exim iurgia turbidos
armarunt animos, et male pertinax
uincendi studium subiacuit casibus asperis. 15

Bis legum moderamine
frenos nobilium reximus urbium:
ius ciuile bonis reddidimus, terruimus reos.

10 Hor. C. 1, 19, 3 & 7.
incipit praefatio aurelii prudentii *DOS* praefatio (*s. manu. rec.* : aurelii prudentii clementis viri consularis in librum cathemerinon) *V* incipit proemium aurelii prudentii clementis *NEP* (prohem. *EP*, aurili prudenti *E*) incp̄ ymni aurelii prudentii *M*; *inscriptio praefationis deest in U, tota praefatio deest in A C B.*
13 exim *Bergman cum M* : exin *OU*, *VS p.c.* exhinc *DNP* dehinc *E*

Enfin la bienveillance de l'empereur m'a porté à
20 un grade élevé dans les offices de sa cour ; il m'a rapproché de lui, m'a ordonné d'occuper un rang tout voisin du sien.

Tandis que ma vie s'envolait ainsi, soudain la blancheur se glissa sur ma tête vieillie, me reprochant d'avoir oublié le lointain consulat de Salia.
25 C'est sous lui que je naquis. Depuis, combien le temps a-t-il ramené d'hivers, combien de fois a-t-il rendu, après la saison glacée, les roses aux champs? La neige qui couvre ma tête le montre.

Ces biens, ou ces maux, me serviront-ils à quelque chose, après la destruction de ma chair, une fois que
30 la mort aura fait disparaître ce personnage, quel qu'il soit, qui était moi ?

Il est temps de me dire : « Qui que tu sois, le monde est perdu pour ton âme, ce monde qu'elle a servi. Ce ne sont pas les choses de Dieu qu'elle a goûtées, et c'est à Dieu que tu vas appartenir. »

Eh bien, tout à la fin de ma vie, que mon âme
35 pécheresse dépouille sa sottise; qu'elle célèbre du moins Dieu par ses chants, si elle ne le peut par ses mérites.

Que sans interruption elle emplisse le jour de ses hymnes ; qu'aucune nuit ne se passe sans qu'elle chante le Seigneur [1] ; qu'elle lutte contre les hérésies, qu'elle expose la foi catholique [2].
40 Qu'elle foule aux pieds le culte des païens ; qu'elle flétrisse, Rome, tes idoles [3]; qu'elle consacre un poème aux martyrs, qu'elle loue les apôtres [4].

Et tandis que j'écrirai ou parlerai sur ces sujets, puissé-je m'élancer, délivré des liens de mon corps,
45 là où aura tendu ma langue flexible en ses derniers accents !

1. Allusion au *Cathémérinon*.
2. Allusion à l'*Apothéosis* et à l'*Hamartigénia*.
3. Allusion au *Contre Symmaque*.
4. Allusion au *Péristéphanon*.

Tandem militiae gradu
euectum pietas principis extulit, 20
adsumptum propius stare iubens ordine
[proximo.

Haec dum uita uolans agit,
inrepsit subito canities seni,
oblitum ueteris me Saliae consulis arguens,

sub quo prima dies mihi. 25
Quam multas hiemes uoluerit et rosas
pratis post glaciem reddiderit, nix capitis
[probat.

Numquid talia proderunt
carnis post obitum uel bona uel mala,
cum iam, quidquid id est, quod fueram,
[mors aboleuerit? 30

Dicendum mihi : « Quisquis es,
mundum, quem coluit, mens tua perdidit ;
non sunt illa Dei, quae studuit, cuius
[habeberis. »

Atqui fine sub ultimo
peccatrix anima stultitiam exuat; 35
saltem uoce Deum concelebret, si meritis
[nequit.

Hymnis continuet dies,
nec nox ulla uacet, quin Dominum canat ;
pugnet contra hereses, catholicam discutiat
[fidem ;

conculcet sacra gentium, 40
labem, Roma, tuis inferat idolis ;
carmen martyribus deuoueat, laudet apostolos.

Haec dum scribo uel eloquor,
uinclis o utinam corporis emicem
liber, quo tulerit lingua sono mobilis ultimo ! 45

27 Hor. C. 4, 13, 12.

HYMNES

LIVRE D'HEURES

I

HYMNE AU CHANT DU COQ

Le coq est le symbole du Christ qui nous appelle à la vie surnaturelle. Son chant met en fuite les démons, et provoque le repentir des pécheurs. — Dimètre ïambique.

L'oiseau qui annonce le jour chante l'approche de la lumière; aussitôt l'éveilleur des âmes, le Christ, nous appelle à la vie.

5 « Ecartez, nous crie-t-il, vos couchettes malades, endormies, paresseuses [1]. Et chastes, justes, sobres, veillez : voici que je suis tout proche. »

Une fois que le soleil étincelant s'est levé, il est 10 bien tard pour dédaigner son lit, à moins que l'on n'ait pris une partie de la nuit pour prolonger le temps du travail.

15 Ce chant du coq, qui, peu avant que la lumière ne jaillisse, éveille le gazouillement des petits oiseaux perchés sous le rebord du toit [2], est le symbole de notre Juge.

1. Le poète donne à l'objet les épithètes qui conviennent à son possesseur.

2. Nous rencontrons ici un exemple caractérisque des multiples allusions littéraires auxquelles se complaît Prudence, selon l'habitude de tous les auteurs latins, du reste (cf. sur ce sujet A. M. GUILLEMIN, *L'originalité de Virgile*, *étude sur la méthode lit-*

LIBER CATHEMERINON

I

HYMNVS AD GALLI CANTVM

Ales diei nuntius
lucem propinquam praecinit;
nos excitator mentium
iam Christus ad uitam uocat.

« Auferte », clamat, « lectulos 5
aegros, soporos, desides ;
castique, recti ac sobrii
uigilate, iam sum proximus ! »

Post solis ortum fulgidi
serum est cubile spernere, 10
ni parte noctis addita
tempus labori adieceris.

Vox ista, qua strepunt aues
stantes sub ipso culmine
paulo ante quam lux emicet 15
nostri figura est iudicis.

7 I Cor. 15,34. I Thess. 5,6. I Petr. 5,8.
13 Vg. A. 8,456.

finit praefatio incipit hymnus ad galli cantum *DOS* (incipit *om.* *O*) finit p̄facio ymnus ad galli cantum *M* incipit liber cathemerinon hymnus ad galli cantum *VUN* (*in V* : lib. cath. inc. ; *in U* : liber I cath. ymnus) hymnus ad galli cantum *APE*; *hymnus deficit in B*, *incipit a u. 4 in C*.

6 aegro sopore *Arevalo cum CS*

Nous étions enveloppés de ténèbres affreuses et enfoncés sous de nonchalantes couvertures : ce chant nous engage à renoncer au sommeil, au moment où le jour
20 est sur le point de paraître ;

il encourage ainsi tous ceux que la peine tourmente à espérer bientôt la lumière[1], lorsque l'Aurore aura éparpillé dans le ciel ses effluves étincelants.

25 Ce sommeil accordé pour un moment est l'image de la mort éternelle. Le péché, comme une nuit affreuse, nous plonge dans un assoupissement profond.

Mais voici qu'une voix d'en haut, celle du Christ
30 notre Maître, nous avertit que la lumière est proche, pour que l'âme cesse d'être l'esclave du sommeil ;

pour que la léthargie n'accable pas jusqu'à la fin
35 d'une vie sans énergie notre cœur enseveli dans le péché, et qui a oublié sa vraie lumière.

On dit que les démons qui errent, réjouis par les ténèbres des nuits, au chant du coq sont effrayés et
40 se dispersent pleins de crainte.

Car l'approche, qui leur est odieuse, de la lumière, du salut, de la divinité, en déchirant le voile malpropre des ténèbres, met en fuite les satellites de la nuit.

téraire antique, Paris, 1931). Le passage imité ici est Virgile, *Enéide*, 8, 455-6 :

Euandrum ex humili tecto lux suscitat alma
Et matutini uolucrum sub culmine cantus.

« La bonne lumière du jour et le chant matinal des oiseaux sous le toit de chaume appellent Evandre hors de son humble demeure ». (traduction A. Bellessort). On notera que, dans les deux passages, *culmen* peut être pris dans le sens, soit de *faite*, *toit*, soit de *paille*, *chaume*, sens que l'on trouve dans Ovide, *Fastes*, 4, 734, pour de la paille de fève (*culmen* formant alors un équivalent poétique de *culmus*).

1. C'est-à-dire à espérer la fin de leurs misères lorsque sera arrivé le règne de Dieu, symbolisé par l'aurore. Cette strophe est le développement du dernier vers de la strophe 4. Mais la liaison des idées n'est pas très claire.

Tectos tenebris horridis
stratisque opertos segnibus
suadet quietem linquere
iam iamque uenturo die, 20

ut, cum coruscis flatibus
aurora caelum sparserit,
omnes labore exercitos
confirmet ad spem luminis.

Hic somnus ad tempus datus 25
est forma mortis perpetis :
peccata, ceu nox horrida,
cogunt iacere ac stertere;

sed uox ab alto culmine
Christi docentis praemonet 30
adesse iam lucem prope,
ne mens sopori seruiat,

ne somnus usque ad terminos
uitae socordis opprimat
pectus sepultum crimine 35
et lucis oblitum suae.

Ferunt uagantes daemonas,
laetos tenebris noctium,
gallo canente exterritos
sparsim timere et cedere. 40

Inuisa nam uicinitas
lucis, salutis, numinis,
rupto tenebrarum situ,
noctis fugat satellites.

26 est forma mortis *omn. codd.* : mortis imago est *A a. c. contra metrum* || 34 socordes *P E p. c.*

45 Ils savent depuis longtemps que c'est là le symbole de la promesse réconfortante qui nous libère de notre léthargie et nous fait espérer l'avènement de Dieu.

La valeur allégorique de cet oiseau, le Sauveur l'a 50 montrée à Pierre, quand il lui a prédit qu'avant le chant du coq il l'aurait renié trois fois.

Car le péché se commet avant que le héraut du 55 jour qui vient n'inonde de lumière le genre humain et n'apporte la fin du péché [1].

Enfin le négateur regretta en pleurant la parole criminelle qu'il avait laissé échapper de sa bouche, tout en conservant l'innocence dans son cœur et la 60 foi dans son âme [2].

Désormais il ne proféra plus rien de tel, il sut retenir sa langue sur la pente dangereuse; en reconnaissant le chant du coq, le juste cessa de pécher.

65 De là vient que nous croyons tous que c'est à ce moment de la nuit où le coq chante plein de joie, que le Christ est revenu des enfers.

C'est alors que fut écrasée la force de la mort; 70 c'est alors que fut vaincue la loi du Tartare; c'est alors que la puissance du jour l'emporta et contraignit la nuit à s'effacer.

Désormais que la méchanceté s'endorme, que le 75 noir péché s'assoupisse, que la faute mortelle succombe au sommeil et s'engourdisse.

1. Cette strophe est à rapprocher de la strophe 12 : le coq est le symbole du Christ, qui a apporté au genre humain la lumière de la vérité et la fin de l'esclavage du péché.

2. Son âme pouvait-elle vraiment rester innocente pendant que sa bouche mentait? On a reproché là à notre poète une exagération évidente. En réalité, il est probable que Prudence distingue entre deux péchés qui lui semblent inégalement graves : la perte de la foi en Jésus, péché qui aurait été mortel, mais que l'apôtre n'a pas commis, et son reniement momentané, mensonge proféré par lâcheté, péché assurément grave, mais néanmoins véniel, et qu'il a ensuite racheté par son repentir. C'est ainsi que raisonne aussi

Hoc esse signum praescii 45
norunt repromissae spei,
qua nos soporis liberi
speramus aduentum Dei.

Quae uis sit huius alitis,
Saluator ostendit Petro, 50
ter, antequam gallus canat,
sese negandum praedicans.

Fit namque peccatum prius
quam praeco lucis proximae
inlustret humanum genus 55
finemque peccandi ferat.

Fleuit negator denique
ex ore prolapsum nefas,
cum mens maneret innocens
animusque seruaret fidem. 60

Nec tale quidquam postea
linguae locutus lubrico est,
cantuque galli cognito
peccare iustus destitit.

Inde est, quod omnes credimus 65
illo quietis tempore
quo gallus exultans canit,
Christum redisse ex inferis.

Tunc mortis oppressus uigor,
tunc lex subacta est tartari, 70
tunc uis diei fortior
noctem coegit cedere.

Iam iam quiescant improba,
iam culpa furua obdormiat,
iam noxa letalis suum 75
perpessa somnum marceat.

51 Matth. 26,34. 75 etc. || 57 Matth. 26,75 etc.
62 lingua...lubrica *U*.

Et que l'esprit à son tour veille ; tout le temps que va encore rester fermé le cône d'ombre de la nuit [1], 80 qu'il travaille, debout comme la sentinelle.

Invoquons Jésus par nos paroles, nos pleurs, nos prières et nos jeûnes [2] ; une supplication ardente empêche le cœur pur de s'endormir.

85 Assez longtemps, tandis que notre corps était enroulé dans nos couvertures, un oubli profond a opprimé, appesanti, accablé notre pensée, qui errait au hasard de vains songes.

Car il y a des actes de mensonge et de vanité que, 90 par gloriole mondaine, nous avons commis comme en dormant. Veillons, voici la Vérité.

L'or, la volupté, la joie, les richesses, les honneurs, 95 la prospérité : ces maux de toute nature font notre orgueil. Le matin paraît : tous s'évanouissent.

Toi, ô Christ, dissipe le sommeil ; toi, romps les chaînes de la nuit ; toi, anéantis l'antique péché, et 100 apporte-nous la Lumière nouvelle.

saint Augustin dans son *Contra mendacium liber ad Consentium*, chap. 13 (*P. L.*, *t.* 40, col. 526), qui, sans excuser le négateur, reconnaît toutefois que sa foi n'avait pas chancelé : « *Nempe in illa negatione intus ueritatem tenebat, et foris mendacium proferebat.* » On trouvera dans saint Ambroise, *Expositio Euangelii sec. Lucam*, livre 10, chap. 72 sqq. (*P. L.*, t. 15, col. 1914 sqq.) une longue explication, beaucoup plus subtile, et même forcée, de la conduite de saint Pierre ; cette explication fait penser à une première ébauche de la théorie des « restrictions mentales », si énergiquement attaquée par Pascal dans ses *Provinciales*. Comme on le voit, cet épisode de l'Évangile avait particulièrement attiré l'attention d'illustres docteurs.

1. Il semble que l'expression *meta noctis* ait ici le même sens que dans Cicéron, *De diuinatione*, 2, 17 umbram terrae quae est meta noctis. Toutefois *meta*, « borne », est peut-être une métonymie pour « carrière » : « pendant que la nuit achève sa carrière. »

2. La prière, les pleurs, le jeûne, sont les moyens d'apaiser Dieu constamment recommandés par la Bible et les Pères de l'Eglise. Cf. par exemple Joël 2, 12 : « Conuertimini ad me in toto corde uestro, in ieiunio et in fletu et in planctu » ; saint Cyprien, *De lapsis*, 29 sqq. ; etc.

Vigil uicissim spiritus,
quodcumque restat temporis
dum meta noctis clauditur,
stans ac laborans excubet. 80

Iesum ciamus uocibus
flentes, precantes, sobrii;
intenta supplicatio
dormire cor mundum uetat.

Sat conuolutis artubus 85
sensum profunda obliuio
pressit, grauauit, obruit
uanis uagantem somniis.

Sunt nempe falsa et friuola,
quae mundiali gloria 90
ceu dormientes egimus:
uigilemus, hic est ueritas.

Aurum, uoluptas, gaudium,
opes, honores, prospera,
quaecumque nos inflant mala : 95
fit mane, nil sunt omnia.

Tu, Christe, somnum dissice,
tu rumpe noctis uincula,
tu solue peccatum uetus
nouumque lumen ingere ! 100

HYMNE DU MATIN

La naissance du jour fait penser à l'avènement futur du Christ. La lumière ramène les occupations sérieuses. Les chrétiens prient Dieu de les garder purs de tout péché. — Dimètre ïambique.

Nuit, ténèbres et nuages, confusion et trouble du monde, la lumière paraît, le ciel blanchit : le Christ vient, éloignez-vous !

5 Le voile qui couvrait la terre, frappé par la flèche du soleil, se déchire ; les choses retrouvent leur couleur[1] sous le regard de l'astre éclatant.

Il en sera bientôt de même pour notre nuit intérieure, pour notre cœur conscient de ses fautes. 10 Quand Dieu viendra régner, les nuages se déchireront, et tout s'éclairera comme aux clartés de l'aube[2].

Alors il ne sera plus possible de tenir cachées les pensées sombres de chacun ; les secrets de l'esprit, 15 dévoilés, brilleront au matin nouveau.

Le voleur, avant le jour, pendant que le temps est obscur, commet impunément le mal[3]. Mais la

1. Voici encore une allusion à un vers de Virgile (*Enéide*, 6, 272) : *ubi caelum condidit umbra*
Iuppiter, et rebus nox abstulit atra colorem.
« ... lorsque Jupiter a plongé le ciel dans l'ombre, et que l'obscurité de la nuit a enlevé aux choses leur couleur. »
2. Nouvel exemple du procédé allégorique cher à notre poète (cf. p. 5, n. 1). Le matin devient ici le symbole du jugement dernier.
3. Cf. *Hymne* 1, vers 53-56.

II

HYMNVS MATVTINVS

Nox et tenebrae et nubila,
confusa mundi et turbida,
lux intrat, albescit polus :
Christus uenit, discedite !

Caligo terrae scinditur, 5
percussa solis spiculo,
rebusque iam color redit
uultu nitentis sideris.

Sic nostra mox obscuritas
fraudisque pectus conscium, 10
ruptis retectum nubibus,
regnante pallescet Deo.

Tunc non licebit claudere
quod quisque fuscum cogitat,
sed mane clarescent nouo 15
secreta mentis prodita.

Fur ante lucem squalido
impune peccat tempore,
sed lux dolis contraria
latere furtum non sinit. 20

Vg. A. 6, 272. || 15 Vg. G. 3, 325.

hymnus matutinus *AVNPE* ymnus matutinus *CDMOU* incipit mnus matutinus *S*; *hymnus deficit in B*

12. pallescit *DPEMOSU*, *V p. c.* m^2, *C in ras.*

lumière, ennemie des ruses, ne permet pas que le vol
20 demeure caché.

La fraude astucieuse et madrée se plaît à se couvrir de ténèbres ; l'adultère qui se cache, aime la nuit propice aux turpitudes.

25 Mais voici que se lève le soleil de feu : mécontentement de soi-même, honte et remords surgissent ; personne, quand la lumière est témoin, ne peut plus pécher hardiment.

30 Le matin, qui ne rougit d'avoir indignement vidé force coupes [1] ? C'est l'heure où le débauché devient tempérant, et où le libertin a des goûts de chasteté.

Maintenant, oui, maintenant, on vit sérieusement ; maintenant personne ne songe plus à s'amuser ; tous
35 maintenant colorent leurs sottises d'un visage sérieux.

C'est maintenant l'heure utile à tous, où chacun remplit les devoirs de son état : soldat ou civil,
40 matelot, ouvrier, laboureur ou marchand.

L'un est entraîné par la gloire du barreau ; l'autre par la trompette sinistre ; le négociant et le paysan soupirent après des gains avides.

45 Mais nous, nous ignorons le bénéfice et l'usure, et tout l'art de la parole ; la valeur guerrière nous manque : nous ne connaissons que toi, ô Christ ! [2]

C'est toi que, dans la simplicité et la pureté de notre
50 cœur, nous apprenons à prier, toi, par nos paroles,

1. Les commentateurs ne s'accordent pas sur le sens précis de ces deux vers. Les uns comprennent que le buveur intempérant rougit, le matin venu, au souvenir de ses libations excessives de la veille. D'autres, Arevalo notamment, pensent que c'est le fait de boire le matin qui doit provoquer la honte. Les anciens semblent avoir considéré en effet que l'ivresse n'était permise que le soir, une fois qu'on s'était acquitté des devoirs de la journée. Cf. Horace, *Od.* 4, 5, 38-40 : ... *dicimus integro* | *sicci mane die, dicimus uuidi,* | *cum sol Oceano subest.* Cf. aussi Sénèque, *Epîtres*, 122, notamment chap. 6 (*qui ieiuni bibunt*, etc.), et Pline, *H. N.*, 14, 22 (28).

2. C'est notamment cette strophe et les deux suivantes qui suggèrent l'idée que Prudence, au moment où il écrivait le *Cathémé-*

Versuta fraus et callida
amat tenebris obtegi,
aptamque noctem turpibus
adulter occultus fouet.

Sol ecce surgit igneus : 25
piget, pudescit, paenitet,
nec teste quisquam lumine
peccare constanter potest.

Quis mane sumptis nequiter
non erubescit poculis, 30
cum fit libido temperans,
castumque nugator sapit ?

Nunc, nunc seuerum uiuitur,
nunc nemo temptat ludicrum,
inepta nunc omnes sua 35
uultu colorant serio.

Haec hora cunctis utilis,
qua quisque, quod studet, gerat :
miles, togatus, nauita,
opifex, arator, institor. 40

Illum forensis gloria,
hunc triste raptat classicum,
mercator hinc ac rusticus
auara suspirant lucra ;

at nos lucelli ac faenoris 45
fandique prorsus nescii
nec arte fortes bellica,
te, Christe, solum nouimus.

Te mente pura et simplici,
te uoce, te cantu pio 50

48 I Cor. 2, 2.
25 Vg. G. 4, 426 et A. 8, 97

toi, par nos cantiques pieux, en fléchissant le genou, en pleurant et en chantant.

Tels sont nos gains et nos profits ; tel est l'unique 55 métier qui nous fait vivre ; tel est le rôle que nous nous mettons à remplir à chaque nouveau lever du soleil étincelant.

Tourne tes yeux vers notre cœur, considère toute notre vie ; il y a en nous bien des taches de mensonge 60 que ta lumière peut effacer.

Garde-nous dans l'état où tu nous avais fait briller jadis, débarrassés de nos souillures, quand nous fûmes lavés dans les eaux du Jourdain [1].

65 Tout ce que, depuis, la nuit du monde a obscurci de ses noirs nuages, toi, roi de l'astre oriental [2], éclaire-le de ton visage serein,

toi, Dieu saint, qui changes la poix noire en la 70 blancheur du lait, toi qui fais du cristal avec l'ébène, et qui effaces les sombres péchés !

Dans la nuit bleu sombre, Jacob, lutteur audacieux 75 contre un ange, jusqu'à ce que le jour parût, soutint, tout en sueur, un combat inégal.

rinon, faisait partie d'une sorte de communauté religieuse. Cf. *supra*, Introduction, p. VIII.

1. C'est-à-dire baptisés.

2. C'est-à-dire : « roi du soleil levant ». J'adopte la ponctuation de Bergman, proposée déjà au XVIIe siècle par Chamillard. Arevalo fait de *Eoi sideris* le complément de *uultu sereno* : *tu*, *rex*, *Eoi sideris* | *uultu sereno inlumina*, « toi, ô roi, illumine-le du regard serein de l'astre oriental ». Parmi les titres nombreux que Prudence décerne au Christ (cf. notre *Étude sur la langue du poète Prudence*, §§ 987 sqq.), celui de *roi* revient particulièrement souvent, par exemple : *rex noster Ps* 5, *rex uiuentium C* 9, 106, *dominae rex ecclesiae C* 12, 187.

rogare curuato genu
flendo et canendo discimus.

His nos lucramur quaestibus,
hac arte tantum uiuimus,
haec inchoamus munera, 55
cum sol resurgens emicat.

Intende nostris sensibus,
uitamque totam dispice ;
sunt multa fucis inlita,
quae luce purgentur tua. 60

Durare nos tales iube,
quales remotis sordibus
nitere pridem iusseras
Iordane tinctos flumine.

Quodcumque nox mundi dehinc 65
infecit atris nubibus,
tu, rex Eoi sideris,
uultu sereno inlumina,

tu, sancte, qui taetram picem
candore tinguis lacteo, 70
ebenoque crystallum facis,
delicta tergens liuida !

Sub nocte Iacob caerula,
luctator audax angeli,
eo usque dum lux surgeret, 75
sudauit inpar prœlium ;

sed cum iubar claresceret,
lapsante claudus poplite

64 Marc. 1, 4 etc. || 73 Gen. 32, 22-32.

69 Ou. Pont. 3, 3, 97.

58 despice *MUP*, *C D* a. *c*. *N* a. *r*. || 67 rex : lux *MU* || 72 terge *Arevalo cum O S*, *D E p*. *r*. || 76 praelium (o *s*. um) *C P* : proelio *E p*. *r*. praelio *O* plio *U* prelio *S*

Mais quand l'aurore vint à luire, boiteux, le jarret chancelant et la cuisse affaiblie, vaincu, il perdit la
80 force de pécher [1].

Son aine blessée vacillait : c'est dans cette partie du corps, la plus vile, située loin au-dessous du cœur, que couve la luxure affreuse.

85 Cette allégorie nous enseigne que l'homme enveloppé de ténèbres, s'il vient à résister à Dieu, perd ses forces rebelles.

Plus heureux cependant sera celui dont les membres
90 luxurieux se trouveront, au jour naissant, brisés, alanguis par la lutte [2].

Qu'enfin cesse l'aveuglement qui longtemps nous a
95 entraînés, nous a fait glisser, nous a précipités, d'un pas funeste, dans les sentiers de l'erreur.

Que la lumière qui paraît nous apporte la sérénité ; qu'elle nous rende purs sous ses rayons ; ne disons
100 rien d'artificieux, ne pensons rien de ténébreux.

Puisse tout le jour s'écouler sans aucun péché de notre langue, portée au mensonge, de nos mains, ni de nos yeux, faibles devant la tentation, sans qu'aucune faute souille notre corps.

105 Un observateur est là-haut qui examine, chaque jour, nos personnes et nos actes, du lever du soleil à la tombée du soir.

Il est témoin, il est arbitre, il voit, quelles qu'elles
110 soient, les pensées du cœur humain, et c'est un juge auquel personne ne saurait échapper.

1. Lutter contre l'envoyé de Dieu était un péché.

2. C'est-à-dire sans doute (car cette strophe est assez obscure) : dont la passion charnelle sera calmée par ses efforts de chasteté ; l'idée de lutte contre les mauvaises pensées est amenée par une vague analogie avec l'idée de la lutte de Jacob contre l'ange.

femurque uictus debile,
culpae uigorem perdidit. 80

Nutabat inguen saucium,
quae corporis pars uilior
longeque sub cordis loco
diram fouet libidinem.

Hae nos docent imagines 85
hominem tenebris obsitum,
si forte non cedat Deo,
uires rebelles perdere.

Erit tamen beatior,
intemperans membrum cui 90
luctando claudum et tabidum
dies oborta inuenerit.

Tandem facessat caecitas,
quae nosmet in praeceps diu
lapsos sinistris gressibus 95
errore traxit deuio.

Haec lux serenum conferat
purosque nos praestet sibi ;
nihil loquamur subdolum,
uoluamus obscurum nihil. 100

Sic tota decurrat dies,
ne lingua mendax, ne manus
oculiue peccent lubrici,
ne noxa corpus inquinet.

Speculator adstat desuper, 105
qui nos diebus omnibus
actusque nostros prospicit
a luce prima in uesperum.

Hic testis, hic est arbiter,
hic intuetur, quidquid est, 110
humana quod mens concipit,
hunc nemo fallit iudicem.

III

HYMNE AVANT LE REPAS

Invocation au Christ. Les repas du chrétien sont simples. Le poète remercie Dieu d'avoir soumis tout l'univers à l'homme pour qu'il y puise sa nourriture. Souvenir du Paradis terrestre, du péché d'Adam, et de la Rédemption. Foi en la résurrection des morts. — Trimètres dactyliques hypercatalectiques (appelés aussi tétramètres dactyliques catalectiques).

O porte-croix plein de bonté, créateur de la lumière, saint producteur de toutes choses, engendré par le Verbe et né du corps d'une vierge, mais déjà puissant dans le Père avant que ne fussent faits les
5 astres, le sol et la mer !

Tourne vers nous, je t'en supplie, le regard brillant de ton visage sauveur et la sérénité resplendissante de ton front, afin que nous puissions prendre notre
10 repas en honorant ton nom !

Sans toi, Seigneur, rien ne possède de douceur ; nous n'éprouvons aucun plaisir à prendre aucune nourriture, si ta grâce, ô Christ, n'est d'abord descendue sur les coupes et sur les plats, à l'appel de la foi qui
15 sanctifie tout.

Que nos mets aient le goût de Dieu ; que le Christ coule dans nos verres ; nos occupations sérieuses, nos récréations, nos paroles, nos jeux, en un mot nos personnes et nos actions, que d'en haut les
20 dirige la Sainte Trinité.

III

HYMNVS ANTE CIBVM

O crucifer bone, lucisator,
omniparens pie, uerbigena,
edite corpore uirgineo,
sed prius in genitore potens,
astra, solum, mare quam fierent ! 5

Huc nitido, precor, intuitu
flecte salutiferam faciem,
fronte serenus et inradia,
nominis ut sub honore tui
has epulas liceat capere ! 10

Te sine dulce nihil, Domine,
nec iuuat ore quid adpetere,
pocula ni prius atque cibos,
Christe, tuus fauor inbuerit
omnia sanctificante fide. 15

Fercula nostra Deum sapiant,
Christus et influat in pateras,
seria, ludicra, uerba, iocos,
denique, quod sumus aut agimus,
trina superne regat pietas. 20

11 Vg. A. 12, 880

Hymnus ante cibum *A V N P E* ymnus ante cibum *C D M U* incipit hymnus ante cibum *O* incipit ymnus ante cibum *S*. *Hymnus deficit in B*.

2 omnipotens *C D*, *A a. c.*, *P* (*mg* ł omniparens) || 4 potens : manens *C*, *D* (*s. m2* ł potens) || 20 superna *C M O U*, *P* (ł e *s.* a) *E p. c.*

Je n'ai pas près de moi les dépouilles des roses, et aucun aromate n'exhale son parfum[1] ; mais une liqueur douce comme l'ambroisie et sentant le suave nectar de la foi, se répand jusqu'à nous, versée du
25 sein du Père[2].

Dédaigne, ô Muse, le lierre léger, dont tu as l'habitude de ceindre tes tempes ; apprends à tresser des guirlandes mystiques; entoure tes cheveux d'un diadème dactylique, couronne-toi des louanges de
30 Dieu ! [3]

Quels plus dignes devoirs l'âme généreuse, fille de la lumière et du ciel, peut-elle rendre à Dieu, que de chanter les bienfaits qu'elle a reçus, et de louer
35 mélodieusement son Créateur ?

Parce que c'est lui-même qui a donné à l'homme tout ce que nous prenons d'une main dominatrice, tout ce que créent le ciel et la terre et la mer, dans les airs, dans les eaux, comme dans les campagnes ;
40 tout cela il me l'a soumis, et il m'a soumis à lui.

Une ruse habile prend au piège les oiseaux dans des lacets ou dans des rets ; des baguettes enduites d'une glu tirée des écorces empêtrent la gent ailée et la
45 retiennent prisonnière.

Dans la mer des filets sinueux ramassent les troupeaux qui errent dans les flots ; ou encore le poisson suit la ligne de roseau et est emporté par l'hame-
50 çon cruel qui blesse sa bouche trompée par l'appât.

1. On sait que les anciens, dans les salles des festins, faisaient grand usage de roses et d'aromates. Les chrétiens évitaient, autant que possible, de prendre part aux banquets, comme aux autres réjouissances païennes, et leurs adversaires leur en faisaient grief. Cf. par exemple Minucius Felix, *Octavius*, 12, 6 : *Non floribus caput nectitis, non corpus odoribus honestatis*, « vous ne ceignez pas de fleurs votre tête, vous ne répandez pas de parfums sur votre corps. »

2. Passage obscur. Cette liqueur est sans doute la grâce divine.

3. Le désordre lyrique des mots de cette strophe en rend la construction difficile. Je construis : docta texere serta mystica, liga comas strophio dactylico, redimita laude Dei.

Hic mihi nulla rosae spolia,
nullus aromate fraglat odor,
sed liquor influit ambrosius
nectareamque fidem redolet,
fusus ab usque Patris gremio. 25

Sperne, camena, leues hederas
cingere tempora quis solita es,
sertaque mystica dactylico
texere docta liga strophio
laude Dei redimita comas ! 30

Quod generosa potest anima,
lucis et aetheris indigena,
soluere dignius obsequium,
quam data munera si recinat,
artificem modulata suum ? 35

Ipse homini quia cuncta dedit,
quae capimus dominante manu,
quae polus aut humus aut pelagus
aëre, gurgite, rure creant,
haec mihi subdidit et sibi me. 40

Callidus inlaqueat uolucres
aut pedicis dolus aut maculis,
inlita glutine corticeo
uimina plumigeram seriem
inpediunt et abire uetant. 45

Ecce per aequora fluctiuagos
texta greges sinuosa trahunt,
piscis item sequitur calamum,
raptus acumine uulnifico,
credula saucius ora cibo. 50

22 fraglat *V O U*, *Cmg*. *E p. c.* : flagrat *cet.*

Le champ, riche en moissons d'épis, nous offre ses
richesses que n'altère nulle fraude ; ici la vigne étend
ses bras luxuriants, ses sarments et ses pampres ; plus
55 loin verdoie la baie, fille de la paix [1].

Ces richesses sont à la disposition des chrétiens, et
suffisent à tous leurs besoins. Loin de nous en effe
cette faim qui fait prendre plaisir à égorger des bes-
60 tiaux, à déchirer des mets sanglants.

Laissons aux peuplades féroces les repas sauvages
fournis par des meurtres d'animaux. Que les feuilles
des plantes potagères, que les graines des légumineuses
65 variées nous nourrissent d'aliments innocents.

Les seaux à traire, pleins d'écume, contiennent un
breuvage blanc comme neige, tiré des deux [2] mamelles ;
sous l'action de la présure qui coagule, le liquide se
solidifie, puis le lait encore mou est pressé dans un
70 panier fragile.

Le rayon de cire fraîchement récolté distille pour
moi le miel de l'Attique à l'odeur de nectar ; de la
rosée aérienne [3] et du thym aux branches fines l'extrait
l'abeille travailleuse, qui ne connaît pas les liens de
75 l'hymen [4].

Puis voici les doux présents du verger fertile ;
l'arbre lourdement chargé laisse, quand on le secoue,
tomber en pluie son fardeau ; il jette à terre un mon-
80 ceau de fruits empourprés [5].

1. L'olive.

2. Ce chiffre surprend. Prudence pense-t-il seulement aux chèvres ? Il est peu probable que ses connaissances en embryologie lui aient permis de savoir que, chez la vache aussi, il y a en réalité deux mamelles, fusionnées en un seul pis à quatre trayons.

3. Pline, 11, 12, déclare que le miel est une sorte de rosée que les abeilles recueillent sur les fleurs et sur les arbres.

4. Cf. Virgile, *G.* 4, 197 sqq.

5. Ainsi qu'il ressort de ce passage, les premiers chrétiens

Fundit opes ager ingenuas
diues aristiferae segetis,
hic ubi uitea pampineo
bracchia palmite luxuriant,
pacis alumna ubi baca uiret. 55

Haec opulentia christicolis
seruit et omnia subpeditat;
absit enim procul illa famis,
caedibus ut pecudum libeat
sanguineas lacerare dapes! 60

Sint fera gentibus indomitis
prandia de nece quadrupedum;
nos holeris coma, nos siliqua
feta legumine multimodo
pauerit innocuis epulis. 65

Spumea mulctra gerunt niueos
ubere de gemino latices,
perque coagula densa liquor
in solidum coit, et fragili
lac tenerum premitur calatho. 70

Mella recens mihi Cecropia
nectare sudat olente fauus;
haec opifex apis aërio
rore liquat tenuique thymo
nexilis inscia conubii. 75

Hinc quoque pomiferi nemoris
munera mitia proueniunt;
arbor onus tremefacta suum
deciduo grauis imbre pluit,
puniceosque iacit cumulos. 80

58 famis *A*, *N P* a. e. *m2 E* a. c. : fames *cet.* *uersus 56-75 desunt in M.*

Quelle trompette ou quelle lyre antique et célèbre pourrait, de son souffle ou de ses cordes, dignement louer l'œuvre du Dieu riche et tout-puissant, et les 85 biens dont la jouissance s'offre à l'homme ?

O bon Père, au début de la matinée, puis au moment où le soleil arrive au milieu de sa course, et aussi quand la lumière est sur son déclin, toutes les fois que l'heure nous invite à prendre notre repas, nos 90 accords te célébreront, ô Dieu !

De ce que le souffle vital échauffe mon corps, de ce que le sang palpite au fond de mon cœur, de ce que ma langue agile, à l'abri dans ma bouche, fait résonner mon palais qu'elle frappe, louanges au Père 95 céleste !

Car, Seigneur, ta main, s'exerçant à reproduire ton image, nous a formés de limon humide. Puis pour donner l'existence à ce corps matériel, Dieu, de sa 100 propre bouche, lui a insufflé la vie.

Ensuite il établit l'homme parmi d'agréables pelouses, dans des bosquets feuillus ; là embaume un printemps éternel, là une eau rapide arrose, des 105 quatre bras d'un fleuve, des prés multicolores.

semblent avoir été volontiers végétariens. Cf. saint Paul, *Rom.* 14, 21 : « Ce qui est bien, c'est de ne pas manger de viande. » Toutefois il n'y avait pas défense absolue, puisque le même apôtre dit, quelques lignes plus haut (14, 20) : « Il est vrai que toutes choses sont pures » ; et encore (14, 3) : « Tel croit pouvoir manger de tout ; tel autre se nourrit de légumes. Que celui qui mange ne méprise point celui qui ne mange pas, et que celui qui ne mange pas ne juge point celui qui mange. » Notons d'ailleurs que Prudence semble exclure de ses menus seulement la viande de boucherie, et y admettre la volaille et le poisson (cf. vers 41-50).

Quae ueterum tuba quaeue lyra
flatibus inclyta uel fidibus
diuitis Omnipotentis opus,
quaeque fruenda patent homini,
laudibus aequiperare queat ? 85

Te, Pater optime, mane nouo,
solis et orbita cum media est,
te quoque luce sub occidua,
sumere cum monet hora cibum,
nostra, Deus, canet harmonia. 90

Quod calet halitus interior,
corde quod abdita uena tremit,
pulsat et incita quod resonam
lingua sub ore latens caueam,
laus superi Patris esto mihi. 95

Nos igitur tua, sancte, manus
caespite conposuit madido,
effigiem meditata suam,
utque foret rata materies,
ore animam dedit ex proprio. 100

Tunc per amœna uirecta iubet
frondicomis habitare locis,
uer ubi perpetuum redolet,
prataque multicolora latex
quadrifluo celer amne rigat. 105

86-90 Ps. 54, 17-18 || 96-100 Gen. 2,1 || 101 Gen. 2,8-15.
86 Vg. G. 3, 325 || 101 Vg. A. 6, 638.

100 ore... proprio : flauit et indidit ore animam *D* (*sequente unius uersus spatio*), *V N E M O S U*; flauit et indidit ore animam ore animam dedit e proprio *C* ; « *igitur in archetypo codicum C et D supra lectionem ingenuam* (ore animam *rel.*) *altera lectio* (flauit et indidit *rel.*) *glossae modo addita exstitit, quam scriba codicis C in textum recepit duos pro uno uersus faciens, D autem omisso uersu genuino sed seruato uersus spatio exhibet.* » (*Bergman*)

« Maintenant, que ceci te soit soumis », dit-il ; « je t'abandonne la jouissance de tout ; cependant je te défends de cueillir le fruit fatal sur l'arbre de mort
110 qui verdoie au milieu du verger ».

Mais voici que le serpent perfide séduisit l'esprit désobéissant de la Femme ; elle força son mari, par ses mauvais conseils, à goûter du fruit défendu : elle
115 allait en mourir aussi bien que lui.

Après en avoir mangé, ils s'aperçurent, se regardant l'un l'autre, que leurs corps étaient nus, ces corps qu'il est interdit de connaître. Ils rougirent de l'égarement qui les avait entraînés. Ils se firent un vêtement avec des feuilles cousues, pour que leur
120 pudeur cachât leur honte.

La conscience de leur faute leur fait craindre Dieu ; ils sont chassés loin du séjour sacré. La femme, qui jusque-là n'était pas mariée, est soumise à son époux ;
125 Dieu lui ordonne de subir une alliance pénible[1].

Le serpent pervers, instigateur de leur faute, est lui aussi puni, condamné à voir une femme écraser du talon sa tête à trois langues[2]. Ainsi le serpent se
130 voit dominé par le pied de la femme, et la femme se voit dominée par l'homme.

En suivant de tels guides, une postérité vicieuse se précipite dans le crime ; elle imite ses grossiers aïeux, accumule indistinctement le bien et le mal, et
135 expie par la mort ses fautes impies.

1. Allusion aux souffrances que Dieu annonce à Eve dans la *Genèse*, 3, 16 : « Je multiplierai tes souffrances, et spécialement celles de ta grossesse ; tu enfanteras des fils dans la douleur ; ton désir se portera vers ton mari, et il dominera sur toi. »

2. Ces vers offrent un exemple caractéristique de la manière dont Prudence se montre fidèle à la fois à la Bible pour le fond et aux

« Haec tibi nunc famulentur », ait;
« usibus omnia dedo tuis;
sed tamen aspera mortifero
stipite carpere poma ueto,
qui medio uiret in nemore ». 110

Hic draco perfidus indocile
uirginis inlicit ingenium,
ut socium malesuada uirum
mandere cogeret ex uetitis,
ipsa pari peritura modo. 115

Corpora mutua (nosse nefas)
post epulas inoperta uident,
lubricus error et erubuit;
tegmina suta parant foliis,
dedecus ut pudor occuleret. 120

Conscia culpa Deum pauitans
sede pia procul exigitur;
innuba femina quae fuerat,
coniugis excipit imperium,
foedera tristia iussa pati. 125

Auctor et ipse doli coluber
plectitur inprobus, ut mulier
colla trilinguia calce terat;
sic coluber muliebre solum
suspicit, atque uirum mulier. 130

His ducibus uitiosa dehinc
posteritas ruit in facinus,
dumque rudes imitatur auos,
fasque nefasque simul glomerans,
inpia crimina morte luit. 135

106 Gen. 2, 16.17 || 111 ib. 3,1-6 || 116 ib. 3,7 || 121 ib. 3, 23. 16 || 126 ib. 3, 14.15.

130 suscipit *Arevalo cum C O*.

Mais voici qu'arrive une nouvelle race, un autre homme envoyé du ciel, non plus façonné avec de l'argile, comme celui de jadis, mais Dieu lui-même assumant le rôle de l'homme, et exempt des vices du
140 corps.

Le Verbe du Père se fait chair vivante : fécondée par la divinité radieuse, sans avoir connu le lit nuptial, ni l'état de mariage, ni les plaisirs de l'hymen,
145 c'est une vierge qui l'enfante.

Voilà la cause de l'antique haine, voilà la cause de la discorde acharnée entre le serpent et l'homme : c'est qu'alors la vipère, face contre terre, a été écra-
150 sée par le pied d'une femme.

Car la Vierge qui a mérité d'enfanter Dieu, triomphe de tous les venins. Le serpent, se roulant en replis inextricables, vomit, engourdi, dans l'herbe verte
155 comme lui, son virus impuissant.

Quelle bête sauvage maintenant ne tremble pas effrayée, devant le blanc troupeau? Le loup funeste se promène parmi les brebis sans peur ; il ne pense plus
160 au sang, et garde fermée sa gueule enragée [1].

Car voici, changement merveilleux de rôle, que l'agneau commande aux lions, et que la colombe venue des astres chasse et met en fuite les aigles
165 cruels à travers les nuées errantes et les vents.

poètes classiques pour la forme. Il suit exactement la *Genèse*, 3, 14-15 : « Yahweh Dieu dit au serpent : « Et je mettrai une inimitié entre toi et la femme... Celle-ci te meurtrira à la tête. » Mais l'expression « tête à trois langues » est d'Horace, *Odes*, 3, 11, (*ore trilingui*).

1. Le sens de cette strophe et de la suivante est obscur. Le poète y fait probablement allusion à l'adoucissement des mœurs sous l'influence du christianisme.

Ecce uenit noua progenies,
aethere proditus alter homo,
non luteus, uelut ille prius,
sed Deus ipse gerens hominem
corporeisque carens uitiis. 140

Fit caro uiuida sermo Patris,
numine quam rutilante grauis
non thalamo neque iure tori
nec genialibus inlecebris
intemerata puella parit. 145

Hoc odium uetus illud erat,
hoc erat aspidis atque hominis
digladiabile discidium,
quod modo cernua femineis
uipera proteritur pedibus. 150

Edere namque Deum merita
omnia uirgo uenena domat,
tractibus anguis inexplicitis
uirus inerme piger reuomit
gramine concolor in uiridi. 155

Quae feritas modo non trepidat,
territa de grege candidulo ?
Inpauidas lupus inter oues
tristis obambulat et rabidum
sanguinis inmemor os cohibet. 160

Agnus enim uice mirifica
ecce leonibus imperitat,
exagitansque truces aquilas
per uaga nubila perque notos
sidere lapsa columba fugat. 165

137 I Cor. 15,47. || 141 Ioh. 1,14 || 146 Gen. 3, 15 || 158 Is. 11, 6.
136 Vg. B. 4, 7. || 158 Vg. G. 3, 537 sqq., B. 3,80.
138 prior *Arevalo cum cod. det.*

Tu es pour moi, ô Christ, la colombe puissante devant qui recule l'oiseau sanguinaire ; tu es l'agneau couleur de neige qui empêche, dans ton bercail, le loup d'ouvrir sa gueule avide, et qui abaisse sous le
170 joug la tête du tigre.

Exauce, Dieu opulent, les pieuses prières de tes serviteurs ; qu'un repas frugal restaure, ranime leurs membres ; qu'on ne voie pas leur estomac paresseux distendre, surcharger leurs entrailles de mets immo-
175 dérés.

Loin de nous toute boisson funeste ; qu'il ne nous plaise de porter la main à rien de nuisible ni de défendu ; que de lui-même notre goût sache garder la mesure, afin de maintenir nos organes en parfaite
180 santé [1].

Qu'il suffise aux serpents affreux [2] d'avoir vu un repas impie [3] valoir à notre corps une mort misérable ! Qu'il suffise qu'une fois la créature de Dieu ait pu
185 mourir à cause de son péché !

La substance ardente, ouvrage de la bouche divine [4], ne meurt pas : née du souffle de Dieu, descendue du trône céleste du Créateur, elle possède la nature
190 de la raison limpide [5].

Et même, il nous est accordé de retrouver, après le trépas, notre chair qui était morte. Notre poussière se rassemble en un corps, et du tombeau renaît
195 notre forme d'autrefois.

1. Littéralement : notre foie. Les anciens attribuaient une grande importance à cet organe, souvent considéré comme le siège des passions (on relève treize exemples du mot chez Prudence).
2. Les démons.
3. Allusion au fruit défendu.
4. L'âme.
5. L'immatérialité et l'immortalité.

Tu mihi, Christe, columba potens,
sanguine pasta cui cedit auis;
tu niueus per ouile tuum
agnus hiare lupum prohibes,
subiuga tigridis ora premens. 170

Da, locuples Deus, hoc famulis
rite precantibus, ut tenui
membra cibo recreata leuent,
neu piger inmodicis dapibus
uiscera tenta grauet stomachus. 175

Haustus amarus abesto procul,
ne libeat tetigisse manu
exitiale quid aut uetitum;
gustus et ipse modum teneat,
sospitet ut iecur incolume. 180

Sit satis anguibus horrificis,
liba quod inpia corporibus
a! miseram peperere necem;
sufficiat semel ob facinus
plasma Dei potuisse mori. 185

Oris opus, uigor igneolus
non moritur, quia, flante Deo
conpositus superoque fluens
de solio Patris artificis,
uim liquidae rationis habet. 190

Viscera mortua quin etiam
post obitum reparare datur,
eque suis iterum tumulis
prisca renascitur effigies,
puluereo coeunte situ. 195

170 sub iuga *Arevalo cum V*

Je crois en effet, et ce n'est pas une vaine confiance, que les corps vivent comme les âmes ; car je me souviens que c'est avec son corps que Dieu [1] est revenu sans peine du Phlégéthon [2] dans le monde
200 des vivants.

J'espère donc que la même destinée attend mon corps. Après l'avoir fait reposer parmi les aromates dans le sarcophage funèbre, le Christ, mon guide, qui est ressuscité du sein de la même terre, l'appel-
205 lera vers les astres de feu.

1. Allusion à la visite de Jésus aux enfers.

2. Fleuve des enfers païens. Sur cet emploi des termes de la mythologie à la place de mots proprement chrétiens, cf. notre *Etude*, §§ 1010 sqq.

Credo equidem (neque uana fides)
corpora uiuere more animae;
nam modo corporeum memini
de Phlegetonte gradu facili
ad superos remeasse Deum. 200

Spes eadem mea membra manet,
quae, redolentia funereo
iussa quiescere sarcophago,
dux parili rediuiuus humo
ignea Christus ad astra uocat. 205

196 Vg. A. 4, 12

204 parilis *CDPO*, *E* (*s.* ł li *m2*) || homo *ACDPMO*, *E* (*s.* ł humo *m2* S *a. c. m2*.

IV

HYMNE APRÈS LE REPAS

Actions de grâces à la Trinité. Éloge de la tempérance. Dieu ne laisse pas mourir de faim ses bons serviteurs. Histoire de Daniel et d'Habacuc. La Sainte Écriture est la vraie nourriture des chrétiens. — Hendécasyllabes phaléciens.

Nous avons nourri notre chair, et nous avons pris le repas que réclame impérieusement l'infirmité de notre corps. Que notre langue rende nos louanges à Dieu le Père,

le Père qui, dans le séjour céleste, règne et domine
5 sur les Chérubins et les Séraphins qui forment son trône sacré [1].

C'est lui que nous appelons le Dieu Sabaoth [2] ; il n'a pas commencé et n'aura pas de fin. Il a créé toutes choses et a formé le monde.

10 O source de vie [3] qui t'épanches du haut du ciel limpide, toi qui verses en nos cœurs la foi, y sèmes la pudeur ; toi qui es le vainqueur de la mort et l'auteur de notre salut,

1. On a chicané Prudence sur ce détail parce que dans le Psaume 79 (80), 2, seuls les chérubins sont nommés comme formant le trône de Dieu. Les séraphins (Isaïe 6, 2) se tiennent devant lui.
2. Dieu des armées.
3. Le Verbe.

IV

HYMNVS POST CIBVM

Pastis uisceribus ciboque sumpto
quem lex corporis imbecilla poscit,
laudem lingua Deo Patri rependat;

Patri, qui Cherubin, sedile sacrum
nec non et Seraphin suum, supremo 5
subnixus solio tenet regitque.

Hic est, quem Sabaoth Deum uocamus,
expers principii carensque fine,
rerum conditor et repertor orbis.

Fons uitae liquida fluens ab arce, 10
infusor fidei, sator pudoris,
mortis perdomitor, salutis auctor,

5 Is. 6, 2. Ps. 79,2 et Hieron. comm. in Is. 6,2. || 10 Ps 35,10
9 Vg. A. 12,829

hymnus post cibum *codd.* (himnus *A*, ymnus *DMU*, incipit ymnus *S*). *Hymnus deficit in B.*
4 cherubim *et* 5 seraphim *PMU, Np. c. m2, Sa. c.*

c'est de toi que viennent notre être, notre vie à tous. Sur nous aussi règne l'Esprit éternel, envoyé à
15 la fois par le Christ et le Père [1].

Sa pureté pénètre dans les cœurs chastes qui, voués à lui comme des temples, resplendissent de joie, quand ils se sont profondément imprégnés de Dieu.

Mais s'il s'aperçoit que, dans une chair déjà con-
20 sacrée, s'élèvent des pensées de vice ou de fraude, il la fuit en hâte comme un sanctuaire souillé.

Car le frisson du remords, mêlé au bouillonnement de la passion coupable, forme comme un feu horrible aux épaisses vapeurs, dont la noirceur offense et chasse la bonté de Dieu.

25 Ce ne sont pas seulement la pudeur et l'innocence des désirs, qui élèvent au Christ un temple durable dans les profondeurs secrètes du cœur.

Il faut aussi éviter les ardeurs de l'intempérance, qui, lorsqu'un corps où règne la foi est trop rempli
30 d'aliments, peut l'oppresser intérieurement jusqu'à l'accabler.

Les cœurs qu'un régime frugal maintient dispos, sont plus aptes à recevoir la visite de Dieu : c'est lui la vraie nourriture de l'âme, le mets qui convient le mieux à son goût.

O Père, tu nous accordes une double faveur. Tu
35 réconfortes notre corps et notre âme et tu les remplis de vigueur, en les nourrissant l'un et l'autre.

C'est ainsi qu'autrefois ton pouvoir éminent a su réconforter de mets tombés du ciel un héros [2] enfermé au milieu des lions aux rugissements rauques.

1. Nous avons ici un exemple des paraphrases de la doxologie (Gloria Patri et Filio et Spiritui Sancto) que Prudence insère à plusieurs reprises dans son œuvre. Cf. C VI, 1-8 ; C V, 157-164.
2. Le prophète Daniel.

omnes quod sumus aut uigemus, inde est.
Regnat Spiritus ille sempiternus,
a Christo simul et Parente missus. 15

Intrat pectora candidus pudica,
quae templi uice consecrata rident,
postquam conbiberint Deum medullis.

Sed si quid uitii doliue nasci
inter uiscera iam dicata sensit, 20
ceu spurcum refugit celer sacellum.

Taetrum flagrat enim uapore crasso
horror conscius aestuante culpa
offensumque bonum niger repellit.

Nec solus pudor innocensue uotum 25
templum constituunt perenne Christo
in cordis medii sinu ac recessu;

sed, ne crapula ferueat cauendum est,
quae sedem fidei cibis refertam
usque ad congeriem coartet intus. 30

Parcis uictibus expedita corda
infusum melius Deum receptant;
hic pastus animae est saporque uerus.

Sed nos tu gemino fouens paratu
artus atque animas utroque pastu 35
confirmas, Pater, ac uigore conples.

Sic olim tua praecluens potestas
inter raucisonos situm leones
inlapsis dapibus uirum refouit.

13 Act. 17,28 || 17 I Cor. 6,19 || 37-72 Dan. cap. 14 sec. Vulg.
13 aut : ac *DVNMS* || 25 innocensque *MOU* in*nocensque *S* || 26 construunt *A*, *O* (*s. l.* constituunt *m2*) || 34 foues *P*, *E a. c.* fruens *A a.c.*

40 Parce qu'il avait maudit un dieu d'airain fondu, regardant comme un crime de courber sa tête devant un objet de bronze poli,

le peuple et le tyran de la sinistre Babylone l'avaient condamné à mort et voué aux bêtes féroces,
45 pour être aussitôt dévoré de leurs morsures cruelles.

O piété, ô foi toujours en sûreté ! Les lions indomptés viennent lécher le héros ; ils n'attaquent pas le protégé de Dieu, ils tremblent devant lui.

Ils restent près de lui, abaissent leur crinière [1] ;
50 leur rage s'adoucit, leur faim devient caressante, et ils tournent autour de leur proie sans que leur gueule cherche du sang.

Comme, toujours emprisonné et manquant de vivres, il tend ses mains vers le ciel et qu'il supplie Dieu dont il a éprouvé la bonté,

55 un ange reçoit l'ordre de voler vers la terre, pour donner à manger au serviteur aimé ; il descend en hâte, au milieu de la complaisance des éléments.

Il voit justement, à quelque distance, des mets non achetés [2] que le bon prophète Habacuc porte à
60 ses moissonneurs selon l'usage rustique.

De sa main, l'ange le prend par les cheveux, tout chargé, comme il est, de ses corbeilles pleines, le soulève de terre et le transporte à travers les airs.

Le prophète enlevé, lui et son déjeuner, descend
65 lentement dans la fosse aux lions, et offre au prisonnier le repas qu'il portait.

« Prends avec plaisir, lui dit-il, et mange volontiers les mets que le Père Céleste et que l'ange du Christ t'envoient dans ce danger ».

1. Qui s'était hérissée en signe de fureur.
2. Allusion à un passage de Virgile, G., 4, 133. Sur cette manie des allusions littéraires, cf. notre *Etude*, §§ 1683 sqq.

Illum fusile numen execrantem 40
et curuare caput sub expolita
aeris materia nefas putantem

plebs dirae Babylonis ac tyrannus
morti subdiderant, feris dicarant
saeuis protinus haustibus uorandum. 45

O semper pietas fidesque tuta !
Lambunt indomiti uirum leones
intactumque Dei tremunt alumnum.

Adstant comminus et iubas reponunt,
mansuescit rabies fameque blanda 50
praedam rictibus ambit incruentis.

Sed cum tenderet ad superna palmas
expertumque sibi Deum rogaret,
clausus iugiter indigensque uictus,

iussus nuntius aduolare terris, 55
qui pastum famulo daret probato,
raptim desilit obsequente mundo.

Cernit forte procul dapes inemptas,
quas messoribus Ambacum propheta
agresti bonus exhibebat arte. 60

Huius caesarie manu prehensa
plenis, sicut erat, grauem canistris
suspensum rapit et uehit per auras.

Tum raptus simul ipse prandiumque
sensim labitur in lacum leonum 65
et, quas tunc epulas gerebat, offert :

46 Vg. A. 4, 373 || 58 Vg. G. 4,132

51 lambit *MOSU* || 54 uictu *Arevalo cum D* (*s.* ł cybo, *mg.* *uictus*) *MSU* || 59 ambacum *A N, U in ras.* : abbacum *M* abacum *S* abacuc *Va. c.*, *E* abbacuc *CDPO*, *Vp.c.* Habacuc *Arevalo.* || 63 uehi *A a.c.* uenit O.

70 Après les avoir pris, Daniel lève son visage vers le ciel ; réconforté par la nourriture, il répond *Amen* et chante *Alleluia*.

De même nous aussi, restaurés par tes dons, ô Dieu, dispensateur de tous les biens du monde, nous 75 te remercions et te dédions des hymnes.

Comme un tyran sinistre, le monde furieux nous traque et nous retient prisonniers ; mais toi tu nous protèges et repousses le fauve

qui gronde autour de nous et veut nous dévorer, 80 aiguisant avec rage ses crocs insensés, parce que, ô grand Dieu, nous ne prions que toi.

On nous tourmente, on nous opprime, un tourbillon de maux nous accable ; le monde nous hait, nous déchire, nous persécute et nous harcèle ; et la foi est soumise à d'iniques supplices.

85 Notre anxiété pourtant n'est pas irrémédiable, car des lions s'apaise la colère féroce [1] et, descendant du ciel, nous vient la nourriture [2].

Quand on l'absorbe avidement, n'y goûtant pas du bout des lèvres, mais la dévorant à belles dents, en 90 voulant l'introduire jusqu'au fond de son être [3],

on sera rassasié des mains du saint prophète [4], on recevra les mets des Justes qui travaillent à la moisson du Seigneur éternel [5].

Car rien n'est plus doux et n'a plus de saveur, car 95 rien ne saurait plaire davantage à l'homme, que les pieuses paroles et les chants des prophètes.

1. Allusion, sans doute, aux accalmies de la persécution. Au temps de Prudence, d'ailleurs, les persécutions étaient terminées depuis longtemps.

2. La grâce divine.

3. C'est-à-dire : quand on est un chrétien, non pas tiède, mais fervent.

4. Allusion, sans doute, à l'Écriture, nourriture des âmes chrétiennes.

5. De l'idée des moissonneurs d'Habacuc, le poète passe à celle des prêtres qui travaillent à conquérir les âmes à Dieu.

« Sumas laetus », ait, « libensque carpas,
quae summus Pater angelusque Christi
mittunt liba tibi sub hoc periclo. »

His sumptis Danielus excitauit 70
in caelum faciem ciboque fortis
« amen » reddidit, « alleluia » dixit.

Sic nos muneribus tuis refecti,
largitor Deus omnium bonorum,
grates reddimus et sacramus hymnos. 75

Tu nos tristifico uelut tyranno
(mundi scilicet inpotentis actu)
conclusos regis et feram repellis,

quae circumfremit ac uorare temptat,
insanos acuens furore dentes, 80
cur te, summe Deus, precemur unum.

Vexamur, premimur, malis rotamur ;
oderunt, lacerant, trahunt, lacessunt ;
iuncta est suppliciis fides iniquis.

Nec defit tamen anxiis medella ; 85
nam languente truci leonis ira
inlapsae superingeruntur escae.

Quas si quis sitienter hauriendo
non gustu tenui, sed ore pleno
internis uelit inplicare uenis, 90

hic, sancto satiatus ex propheta,
iustorum capiet cibos uirorum
qui fructum Domino metunt perenni.

Nil est dulcius ac magis saporum,
nil quod plus hominem iuuare possit, 95
quam uatis pia praecinentis orsa :

79 I Petr. 5,8
81 cur : cum *U* tunc *MOS* || 86 trucis *Arevalo cum MOSU*, E *p.c. m2*

Quand on en est nourri, un pouvoir tyrannique peut bien, jugeant iniquement, nous condamner à mort ; des lions affamés peuvent fondre sur nous ;

100 nous, confessant toujours le Seigneur Dieu le Père, nous dirons, Christ Dieu, qu'il est un avec toi, et porterons ta croix avec persévérance.

his sumptis licet insolens potestas
prauum iudicet inrogetque mortem,
inpasti licet inruant leones,

nos semper Dominum Patrem fatentes 100
in te, Christe Deus, loquemur unum
constanterque tuam crucem feremus.

99 Vg. A. 9, 338

V

HYMNE POUR L'HEURE OU L'ON ALLUME LA LAMPE

La lumière artificielle est, elle aussi, un bienfait de Dieu. Le Buisson ardent. La colonne de feu guida les Hébreux à travers la Mer Rouge et le désert, comme Dieu guide les cœurs, à travers le monde, vers le Paradis. Les chrétiens passent la nuit à adorer Dieu, vraie lumière des âmes. Arevalo (prolégomènes, ch. XII) a voulu démontrer que cet hymne était consacré à la bénédiction du feu nouveau, le samedi saint. Cette hypothèse est invraisemblable. — Petits asclépiades.

Auteur du jour brillant, aimable Maître, qui divises le temps par des alternances fixes, le soleil s'est couché, la nuit affreuse tombe, rends la lumière, ô Christ, à tes fidèles !

5 Bien que tu aies orné le ciel, ta demeure royale, d'étoiles innombrables et du flambeau lunaire, tu nous as montré, cependant, à chercher la lumière en frappant sur un silex, en la faisant jaillir d'une pierre,

afin que l'homme n'ignorât pas que son espoir de
10 la lumière est fondé sur le corps inaltérable du Christ, qui a voulu qu'on l'appelât la pierre inébranlable où viennent s'allumer nos flammes minuscules [1].

1. Passage obscur où s'embrouillent plusieurs idées : 1° que la résurrection du Christ (*solido corpore*) est le gage de notre espé-

V

HYMNVS
AD INCENSVM LVCERNAE

Inuentor rutili, dux bone, luminis,
qui certis uicibus tempora diuidis,
merso sole chaos ingruit horridum,
lucem redde tuis, Christe, fidelibus !

Quamuis innumero sidere regiam 5
lunarique polum lampade pinxeris,
incussu silicis lumina nos tamen
monstras saxigeno semine quaerere,

ne nesciret homo spem sibi luminis
in Christi solido corpore conditam, 10
qui dici stabilem se uoluit petram,
nostris igniculis unde genus uenit,

11 I Cor. 10, 4

1-4 Hor. C. 4, 5, 5 || 7 Vg. G. 1, 135
hymnus (himnus *Aymnus DM* incipit ymnus *SU*) ad incensum lucernae *ACDVPEMSU* incipit hymnus ad incensionem lucernae *O* hymnus * incensione lucernae *N*. *Hymnus deficit in B.*

Ces flammes, nous les alimentons par des lampes remplies d'une rosée d'huile grasse, ou par des torches 15 sèches ; ou bien, en enduisant des fils, tirés du jonc, de cire issue du suc des fleurs et pressée d'abord pour en extraire le miel, nous fabriquons des cierges.

La flamme mobile est vivace, soit que l'argile creuse imbibe, sature de liquide la mèche de lin, soit que le pin fournisse au feu un aliment résineux, soit 20 que l'étoupe en brûlant boive le cylindre de cire.

Un chaud nectar coule goutte à goutte, en larmes odorantes, de la pointe en fusion, car la force du feu fait couler comme des pleurs, du sommet qui ruisselle, une brûlante pluie.

25 C'est ainsi, ô bon Père, que nos maisons resplendissent de tes présents, je veux dire de nobles flammes ; quand le jour est parti, la lumière, sa rivale, se charge de son rôle, et devant elle s'enfuit la nuit vaincue, avec son manteau déchiré.

Qui ne verrait l'origine sublime de la lumière rapide ? 30 Elle est issue de Dieu. Moïse, dans le buisson d'épines, a vu Dieu sous l'aspect d'une flamme à la lumière éclatante.

Heureux celui qui mérita d'apercevoir, dans la ronce sainte, le prince du royaume céleste, après 35 avoir reçu l'ordre de dénouer les courroies de ses pieds, pour ne pas souiller de ses chaussures l'emplacement sacré !

C'est ce feu qu'un peuple au sang illustre, protégé par les mérites de ses aïeux, mais alors esclave, habitué à vivre sous des maîtres barbares, suivit, désor-40 mais libre, parmi de longs déserts.

rance de la vie future (*spem luminis*) ; 2° que le Christ est la pierre angulaire sur laquelle repose l'Église (*stabilem petram*) ; 3° que tous les biens de la terre (ici : le feu) nous viennent de Dieu (*unde genus uenit*).

pinguis quos olei rore madentibus
lychnis aut facibus pascimus aridis ;
quin et fila fauis scirpea floreis 15
presso melle prius conlita fingimus ;

uiuax flamma uiget, seu caua testula
sucum linteolo suggerit ebrio,
seu pinus piceam fert alimoniam,
seu ceram teretem stuppa calens bibit ; 20

nectar de liquido uertice feruidum
guttatim lacrimis stillat olentibus,
ambustum quoniam uis facit ignea
imbrem de madido flere cacumine.

Splendent ergo tuis muneribus, Pater, 25
flammis nobilibus scilicet atria,
absentemque diem lux agit aemula,
quam nox cum lacero uicta fugit peplo.

Sed quis non rapidi luminis arduam
manantemque Deo cernat originem ? 30
Moses nempe Deum spinifero in rubo
uidit conspicuo lumine flammeum.

Felix, qui meruit sentibus in sacris
caelestis solii uisere principem,
iussus nexa pedum uincula soluere, 35
ne sanctum inuolucris pollueret locum.

Hunc ignem populus sanguinis inclyti,
maiorum meritis tutus et inpotens,
suetus sub dominis uiuere barbaris,
iam liber sequitur longa per auia. 40

31 Exod. 3, 2.5
33 Vg. G. 2, 489

24 imbrem : ignem *A C D*, *P* (*mg.* ł imbrem) || 26 mobilibus *Arevalo cum D V*, *P Sp. c. U* (n *s.* in *m2*)

Partout où ils portaient leurs pas, quand ils levaient le camp au milieu de la nuit bleu sombre, devant le peuple qui veillait, marchait comme un guide un éclair qui les précédait, un rayon plus brillant que le soleil.

45 Le roi des rivages du Nil, bouillant d'envie et de colère, donne l'ordre à une troupe vaillante de partir en guerre en cohortes rapides, et dans l'armée bardée de fer retentit le clairon sonore.

Les soldats courent aux armes et ceignent leurs 50 glaives menaçants, aux accents sinistres de la trompette. L'un compte sur ses javelots, l'autre adapte à des flèches crétoises des pointes qui voleront dans l'air.

La foule des fantassins se forme en bataillons ser-55 rés; d'autres montent en hâte sur des chars aux chevaux et aux roues rapides, et déploient les enseignes guerrières où brillent des dragons qui s'enflent [1].

La nation qu'avaient longtemps brûlée les chaleurs de l'Egypte, oubliant maintenant son ancien esclavage, rendait visite enfin à la mer empourprée, et 60 s'était assise, fatiguée, sur le rivage rouge.

L'ennemi cruel est là, avec son chef perfide, et ses robustes troupes engagent le combat. Moïse alors, sans peur, donne l'ordre à son peuple d'entrer dans la mer d'un pas intrépide.

65 Les flots se fendent, faisant place aux voyageurs ; l'eau s'arrête, formant comme des rives, pour les laisser passer, et retient autour d'eux ses ondes transparentes, tandis que les Juifs avancent au fond de la mer entr'ouverte.

1. Les *dracones* (cf. *S.* 2, 713, Pe 1, 35) étaient des enseignes en étoffe ou en cuir en usage dans l'armée romaine au temps de Prudence. Leur forme était, non pas plate, mais cylindrique : ils représentaient le corps creux d'un dragon (serpent fabuleux), avec une gueule ouverte, en argent. Le vent s'engouffrait par cette gueule dans l'étoffe, qui s'agitait en représentant vaguement les

Qua gressum tulerant, castraque caerulae
noctis per medium concita mouerant,
plebem peruigilem fulgure praeuio
ducebat radius sole micantior.

Sed rex Niliaci litoris, inuido 45
feruens felle, iubet praeualidam manum
in bellum rapidis ire cohortibus,
ferratasque acies clangere classicum.

Sumunt arma uiri, seque minacibus
accingunt gladiis; triste canit tuba; 50
hic fidit iaculis, ille uolantia
praefigit calamis spicula Gnosiis.

Densetur cuneis turba pedestribus,
currus pars et equos et uolucres rotas
conscendunt celeres, signaque bellica 55
praetendunt tumidis clara draconibus.

Hic, iam seruitii nescia pristini,
gens Pelusiacis usta uaporibus,
tandem purpurei gurgitis hospita,
rubris litoribus fessa resederat. 60

Hostis dirus adest cum duce perfido,
infert et ualidis proelia uiribus;
Moses porro suos in mare praecipit
constans intrepidis tendere gressibus.

Praebent rupta locum stagna uiantibus, 65
riparum in faciem peruia sistitur
circumstans uitreis unda liquoribus,
dum plebs sub bifido permeat aequore.

44 Exod. 13, 21-22 || 45 Exod. 14, 8 sqq. || 65 Exod. 14, 22 sqq.
41 Vg. A. 2, 753 || 52 Hor. C. 1, 15, 17 || 54 Vg. A. 8, 433
43 fulgore *CDNPEMOS*, *A a. c.*

Les jeunes soldats basanés, brûlant d'une haine
70 ardente, sous la conduite de leur roi impie, osent, dans leur soif de répandre le sang des Hébreux, se confier à l'abîme marin.

L'armée royale se précipite, en tourbillons impétueux, dans l'intervalle laissé par les flots. Elle va.
75 Mais les vagues à nouveau se mélangent, reviennent en roulant rapidement les unes sur les autres, et les eaux reforment leur gouffre.

On pouvait voir alors flotter en ce naufrage les chars et les chevaux, les armes, les chefs eux-mêmes, les cadavres errants de leurs noirs satellites : terrible
80 désastre d'un pouvoir tyrannique.

Quelle langue pourra donc redire tes louanges, ô Christ, qui as dompté l'Egypte par des plaies variées, et, de ta dextre vengeresse, l'as forcée à céder au chef du peuple juste.

85 Tu défends à la mer sans routes de bondir en vagues rageuses, afin que, sur le sol découvert par le flot, s'ouvre, sous ta conduite, un passage sans danger, afin qu'ensuite l'onde avide dévore les impies.

A ton ordre, des pierres arides du désert, se
90 mettent à jaillir des cascades murmurantes; un rocher fendu verse une source neuve, donnant à boire au peuple qu'altère un ciel de feu.

Une eau semblable au fiel, dans un étang affreux, devient, grâce à du bois, comme du miel attique. Il
95 est un bois qui change l'amertume en douceur, car c'est en s'attachant à la croix [1] que l'espérance humaine fleurit.

mouvements onduleux d'un serpent. Cf. Claudien, *VI. cons. Hon.* 566 sqq. ; Sidoine, *C.* 5, 402 sqq. En prêtant de pareilles enseignes à l'armée du Pharaon, Prudence commet, évidemment, un anachronisme.

1. Chez les auteurs ecclésiastiques, et notamment chez Tertullien, la Croix est couramment appelée *le bois* (métonymie, la matière pour l'objet).

Pubes quin etiam decolor, asperis
inritata odiis, rege sub inpio, 70
Hebraeum sitiens fundere sanguinem,
audet se pelago credere concauo.

Ibant, praecipiti turbine percita,
fluctus per medios agmina regia ;
sed confusa dehinc unda reuoluitur 75
in semet reuolans gurgite confluo.

Currus tunc et equos, telaque naufraga,
ipsos et proceres, et uaga corpora
nigrorum uideas nare satellitum,
arcis iustitium triste tyrannicae. 80

Quae tandem poterit lingua retexere
laudes, Christe, tuas, qui domitam Pharon
plagis multimodis cedere praesuli
cogis iustitiae uindice dextera ;

qui pontum rabidis aestibus inuium 85
persultare uetas, ut refluo in solo
securus pateat te duce transitus,
et mox unda rapax ut uoret inpios ;

cui ieiuna eremi saxa loquacibus
exundant scatebris, et latices nouos 90
fundit scissa silex, quae sitientibus
dat potum populis axe sub igneo ?

Instar fellis aqua tristifico in lacu
fit ligni uenia mel uelut Atticum :
lignum est, quo sapiunt aspera dulcius ; 95
nam praefixa cruci spes hominum uiget.

83 Exod. cap. 7-12 || 89 Num. 20, 11 || 93 Exod. 15, 23-25
85 rapidis *Arevalo cum PMOSU* || 86 salo *VNPMOSU*, *E p. c.*, *mg. D.*

C'est aussi à la même époque qu'un aliment couleur de neige, tombant plus dru que grêle froide, emplit le camp israélite ; on charge les tables de ce mets, de
100 ce repas qu'envoie le Christ du haut de l'éther étoilé.

De plus, un vent au souffle pluvieux apporte une épaisse nuée d'oiseaux légers ; leur foule, une fois répandue sur le sol, ne cherche pas à prendre son vol pour s'enfuir.

105 Tels sont les bienfaits dont jadis nos aïeux se virent combler par la bonté singulière de la Divinité unique ; nous aussi, son assistance nous donne notre nourriture, et repaît notre cœur de mystiques repas.

Dieu appelle à lui les cœurs épuisés à travers les
110 flots du siècle ; il guide son peuple, en écartant les vagues ; les âmes ballottées par mille souffrances, il les invite à monter dans la patrie des Justes.

Là, couverte de roseraies empourprées, toute la terre embaume ; arrosée par de petites sources dont
115 l'eau s'enfuit, elle produit d'épais soucis, de tendres violettes et de frêles safrans.

Là coulent des aromates distillés par des arbrisseaux grêles ; là s'exhale l'odeur de la cannelle rare et du nard[1]; le fleuve, à sa source cachée, baigne cette
120 plante et l'entraîne jusqu'à son embouchure [2].

Les âmes bienheureuses, dans ces prairies herbeuses, en chœurs harmonieux font retentir les suaves accents des hymnes, et chantent de douces mélodies, tout en foulant des lis de leurs pieds blancs comme neige.

1. Ce sens de *nard* pour *folium* se rencontre aussi, par exemple, chez Palladius, 2, 18, et chez Claudien, *in Eutr.*, 1, 226.

2. Passage obscur. Le poète veut-il dire que le fleuve transporte, sur tout son parcours, des feuilles ou des fleurs d'arbrisseaux parfumés, et embaume ainsi l'air de toute la contrée, ou simplement que, d'avoir baigné ces plantes, son eau demeure parfumée jusqu'à son embouchure ?

Inplet castra cibus tunc quoque ninguidus,
ınlabens gelida grandine densius ;
his mensas epulis, hac dape construunt,
quam dat sidereo Christus ab aethere. 100

Nec non imbrifero uentus anhelitu
crassa nube leues inuehit alites,
quae, difflata in humum cum semel agmina
fluxerunt, reduci non reuolant fuga.

Haec olim patribus praemia contulit 105
insignis pietas numinis unici,
cuius subsidio nos quoque uescimur,
pascentes dapibus pectora mysticis.

Fessos ille uocat per freta saeculi,
discissis populum turbinibus regens, 110
iactatasque animas mille laboribus
iustorum in patriam scandere praecipit.

Illic, purpureis tecta rosariis,
omnis fraglat humus, caltaque pinguia
et molles uiolas et tenues crocos 115
fundit fonticulis uda fugacibus.

Illic et gracili balsama surculo
desudata fluunt, raraque cinnama
spirant, et folium, fonte quod abdito
praelambens fluuius portat in exitum. 120

Felices animae prata per herbida
concentu pariles, suaue sonantibus
hymnorum modulis, dulce canunt melos,
calcant et pedibus lilia candidis.

97 Exod. 16, 14 sqq. Num. 11, 9 || 101 Num. 11, 31.32
111 Vg. A. 1, 628 || 115 Virg. B. 5, 38 || 118 Mart. 4, 13, 3

103 conflata *EO*, *N p. c.* difflata (ł con *s.* dif.) *CD* || 114 fraglat *OU*, *V p. r.*, *PE* (*ex* flagrat) fralgrat *V a. r.* flagrat *cett.* || 116 unda *MOSU*, *P p. c. m 2*, *E p. c.* || 122 parili *Arevalo cum OU*, *C a.c.*, *D* (*s.* ł pariles) *E p. c.* parilis (s *eras.*) *M*

125 Les esprits criminels, dans les enfers du Styx, ont eux-mêmes souvent des vacances de peines, dans cette nuit fameuse où le Dieu saint est revenu des bords de l'Achéron au séjour des humains,

non semblable à l'étoile qui, avant le matin, surgit de 130 l'océan et vient illuminer de sa torche brillante les ténèbres nocturnes ; mais plus grand que le soleil et rendant à la terre, alors tout attristée par la croix du Seigneur, une lumière nouvelle.

Le Tartare languit, les supplices mollissent, et le 135 peuple des ombres, libéré de ses feux, se réjouit du repos qui règne en sa prison ; dans le fleuve ne brûle plus le soufre accoutumé[1].

Nous, nous passons la nuit, dans de pieuses joies, en assemblées de fêtes ; à l'envi les prières de nos veilles multiplient nos vœux de bonheur ; nous garnissons 140 l'autel, offrons des sacrifices.

Des lampes pendent à des cordes mobiles ; elles brillent, fixées parmi les lambris du plafond ; alimentée par les flots d'huile paisible, la flamme lance sa lumière au travers du verre transparent.

145 On croirait qu'au-dessus de nos têtes s'étend le ciel étoilé, orné des deux chariots, et que dans la région où la Grande Ourse dirige son attelage de bœufs, de rouges étoiles du soir sont piquées çà et là.

Quelle chose digne de t'être offerte, ô Père, par 150 tes fidèles, au commencement de la nuit qui dépose la rosée : la lumière, le plus précieux des biens que tu nous donnes ; la lumière, grâce à laquelle nous voyons tous tes autres bienfaits !

1. Cette croyance que, la veille de Pâques, anniversaire de la descente du Christ aux enfers, les damnés connaissent un moment de répit dans leurs souffrances, a été relevée comme hérétique. Saint Augustin signale, sans la condamner expressément, une opinion analogue dans son *Enchiridion* (P. L., t. 40, col. 285), au chapitre 12, intitulé : « Que le châtiment des damnés sera

VI

HYMNE AVANT LE SOMMEIL

Le sommeil apporte le repos au corps, et parfois des révélations à l'esprit. L'Apocalypse de Saint Jean. Avant de nous endormir, faisons le signe de croix pour éloigner le démon. — Dimètres ïambiques catalectiques.

Sois avec nous, Père suprême,
Que personne ne vit jamais,
Et toi, Verbe du Père, ô Christ,
Et Saint Esprit plein de bonté !

5 O pouvoir, ô puissance unique
De cette Sainte Trinité :
Dieu éternel issu de Dieu,
Dieu procédant de l'un et l'autre !

Le travail du jour est fini,
10 Et l'heure du repos revient.
A son tour le sommeil charmeur
Détend les membres fatigués.

L'esprit bouillonnant de tempêtes,
L'esprit blessé par les soucis,
15 Boit jusqu'au plus profond de l'être
La douce coupe de l'oubli.

Alors dans tout le corps se glisse
La force du Léthé, qui chasse

Tu lux uera oculis, lux quoque sensibus;
intus tu speculum, tu speculum foris;
lumen, quod famulans offero, suscipe, 155
tinctum pacifici chrismatis unguine;

per Christum genitum, summe Pater, tuum,
in quo uisibilis stat tibi gloria,
qui noster Dominus, qui tuus unicus
spirat de patrio corde Paraclitum; 160

per quem splendor, honor, laus, sapientia,
maiestas, bonitas et pietas tua
regnum continuat numine triplici,
texens perpetuis saecula saeculis.

163 contineat *S*, *U p. c.* || nomine *Arevalo cum MS*

Tu es la vraie lumière pour nos yeux, et aussi pour notre âme ; tu es le miroir dans lequel nous voyons notre cœur et le monde extérieur ; reçois cette lumière
155 que je t'offre, moi ton humble serviteur, cette lumière alimentée par le liquide onctueux de l'huile pacifique,

au nom du Christ ton fils, ô Père souverain, qui est l'incarnation visible de ta gloire, qui est notre Seigneur et ton enfant unique, et du sein de son Père
160 souffle le Paraclet ;

lui par qui ta splendeur, ton honneur, et ta gloire, ta sagesse, ta majesté, ta bonté et ta bienveillance, continuent leur règne en trinité divine, tissant l'éternité de siècles sans limites [1].

éternel ». « Qu'on croie si l'on veut, dit-il, que les peines des damnés s'adoucissent dans une certaine mesure à intervalles déterminés. Car, même ainsi, on peut comprendre que *la colère divine*, c'est-à-dire la damnation, *reste sur eux* (Ioh. 3, 36), mais que cependant *Dieu, dans sa colère, leur accorde miséricorde* (*Ps.* 76, 10), non en mettant fin à leur supplice éternel, mais en apportant ou en intercalant un allègement au milieu de leurs tourments. »

1. On reconnaît dans ces deux strophes une paraphrase de la formule liturgique : *per Christum Dominum nostrum qui tecum uiuit et regnat in unitate Spiritus Sancti, Deus, per omnia saecula saeculorum.*

Sunt et spiritibus saepe nocentibus 125
poenarum celebres sub Styge feriae
illa nocte, sacer qua rediit Deus
stagnis ad superos ex Acheruntícis ;

non sicut tenebras de face fulgida
surgens oceano lucifer inbuit, 130
sed terris, Domini de cruce tristibus,
maior sole nouum restituens diem.

Marcent suppliciis tartara mitibus,
exultatque sui carceris otio
umbrarum populus liber ab ignibus, 135
nec feruent solito flumina sulpure.

Nos festis trahimus per pia gaudia
noctem conciliis, uotaque prospera
certatim uigili congerimus prece,
extructoque agimus liba sacrario. 140

Pendent mobilibus lumina funibus,
quae subfixa micant per laquearia,
et, de languidulis fota natatibus,
lucem perspicuo flamma iacit uitro.

Credas stelligeram desuper aream 145
ornatam geminis stare trionibus,
et, qua bosphoreum temo regit iugum,
passim purpureos spargier hesperos.

O res digna, Pater, quam tibi roscidae
noctis principio grex tuus offerat, 150
lucem, qua tribuis nil pretiosius,
lucem, qua reliqua praemia cernimus !

125 I Petr. 3, 19

146 Vg. A. 3, 516

135 umbrarum : functorum *VNE* (*s. in V*, *mg. in E* ł umbrarum), umbrarum (*s. in D* animarum ał functorum, *s. in O* animarum, *mg. in P* ł functorum) *DPO* || 141 nobilibus *O* ; *cf. Havet, Manuel de critique verbale*, § 879 || 149 pater : *s.* ł deus *D*, deus *NMOSU*, *V* (*s.* al. pater), *E* (*mg.* ł pater)

VI

HYMNVS ANTE SOMNVM

Ades, pater supreme,
quem nemo uidit unquam,
Patrisque sermo Christe,
et Spiritus benigne !

O trinitatis huius 5
uis ac potestas una,
Deus ex Deo perennis,
Deus ex utroque missus !

Fluxit labor diei,
redit et quietis hora ; 10
blandus sopor uicissim
fessos relaxat artus.

Mens aestuans procellis
curisque sauciata
totis bibit medullis 15
obliuiale poclum.

2 Ioh. 1, 18

11 Vg. A. 5, 857; 2, 253 ; 3, 511 || 15-17 Vg. A. 6, 714-5
hymnus ante somnum *codd*. (ymnus *DM*, incipit ymnus *SU*, incipit hymnus *O*). *Hymnus deficit in B* ; *uersus 12-81 def. in E*.
6 uis una lumen unum *VNEMOSU* (*mg*. *VE* al. uis ac potestas una ; *mg*. *CD* ł uis una lumen unum)

Tout sentiment de la douleur
20 Du cœur des hommes malheureux.

Nos membres fragiles reçurent
Cette loi de l'ordre de Dieu,
Qu'une volupté salutaire
Portât remède à leur fatigue.

25 Mais pendant qu'un repos ami
Erre à travers toutes les veines
Et apaise le cœur qui chôme,
En le baignant de doux sommeil,

L'esprit librement vagabonde,
30 Rapide et vif, parmi les airs,
Et diverses apparitions
Lui montrent des choses cachées.

Car, libérée de soucis, l'âme
Qui a le ciel pour origine,
35 Dont la source pure est l'éther,
Ne peut rester couchée, inerte.

Elle forge, imitant le vrai,
Des images de toute sorte,
Elle s'y meut rapidement,
40 Ce qui la fait agir un peu.

Mais des frissons bien différents
Lassent l'esprit de ceux qui rêvent.
Tantôt survient un vif éclat
Qui fait connaître l'avenir ;

45 Plus souvent la vérité fuit ;
Une menteuse image trompe
Notre âme, que la peur afflige,
Par quelque ténébreuse énigme.

Serpit per omne corpus
Lethea uis, nec ullum
miseris doloris aegri
patitur manere sensum. 20

Lex haec data est caducis
Deo iubente membris,
ut temperet laborem
medicabilis uoluptas.

Sed dum pererrat omnes 25
quies amica uenas,
pectusque feriatum
placat rigante somno,

liber uagat per auras
rapido uigore sensus, 30
uariasque per figuras,
quae sunt operta, cernit;

quia mens soluta curis,
cui est origo caelum
purusque fons ab aetra, 35
iners iacere nescit.

Imitata multiformes
facies sibi ipsa fingit,
per quas repente currens
tenui fruatur actu. 40

Sed sensa somniantum
dispar fatigat horror.
Nunc splendor intererrat,
qui dat futura nosse;

plerumque dissipatis 45
mendax imago ueris
animos pauore maestos
ambage fallit atra.

Celui que souillent rarement
50 Des fautes contre la morale
Voit luire une pure lumière
Qui lui révèle des secrets.

Mais celui qui, souillé de vices,
A rendu son cœur criminel,
55 Jouet de multiples terreurs,
Voit des fantômes effrayants.

C'est ce qu'un de nos patriarches,
Dans les chaînes de sa prison,
Prouva, interprétant leurs rêves,
60 A deux ministres à la fois.

L'un d'eux retourna à la cour,
Et fut l'échanson du tyran ;
Mais l'autre, attaché au gibet,
Fut la proie des oiseaux rapaces.

65 Puis il prévint le roi lui-même,
Troublé par des songes obscurs,
Que, pour parer à la famine,
Il eût à faire des réserves.

Lors, le nommant chef et tétrarque [1],
70 Le roi lui fit, par tout l'empire,
Tenir un sceptre uni au sien.
Il réside à la cour du maître.

O quels profonds secrets le Christ
Dévoile pendant leur sommeil
75 Aux justes : secrets glorieux,
Secrets à ne pas révéler !

1. Ce titre ne semble correspondre à rien d'égyptien : c'est encore un anachronisme de Prudence.

Quem rara culpa morum
non polluit frequenter, 50
hunc lux serena uibrans
res edocet latentes ;

at qui coinquinatum
uitiis cor inpiauit,
lusus pauore multo 55
species uidet tremendas.

Hoc patriarcha noster,
sub carceris catena,
geminis simul ministris
interpres adprobauit, 60

quorum regressus unus
dat poculum tyranno,
ast alterum rapaces
fixum uorant uolucres ;

ipsum deinde regem 65
perplexa somniantem
monuit famem futuram
clausis cauere aceruis ;

mox, praesul ac tetrarches,
regnum per omne iussus 70
sociam tenere uirgam,
dominae resedit aulae.

O quam profunda iustis
arcana per soporem
aperit tuenda Christus, 75
quam clara, quam tacenda !

57 Gen. cap. 40 et 41

61 reuersus *N M O S U*, *V p. c.*, *P* (*s.* ł regressus), *C mg.* || 67 monuit : nouit *O* mouit *C p. c.* || 71 sociam : sic iam *MS*, *s.* ł sic iam *O*

L'évangéliste si fidèle
Disciple du Maître suprême
Voit, tous nuages écartés,
80 Ce qui était scellé, caché :

L'Agneau lui-même du Tonnant,
Tout empourpré du sacrifice,
Qui brise seul les sceaux du livre
Où se trouve écrit l'avenir.

Sa puissante main est armée
85 D'une épée à double tranchant [1] ;
Lançant l'éclair de part et d'autre,
Elle menace de deux coups.

C'est lui qui sera le seul juge
90 A la fois de l'âme et du corps ;
Et son épée deux fois à craindre,
Les première et seconde morts.

Ce même vengeur cependant,
Retient, bienveillant, sa colère,
95 Ne laissant mourir à jamais
Qu'un petit nombre des impies.

A lui le Père glorieux
Donna le tribunal sans fin ;
C'est lui qu'il invita à prendre
100 Un nom au-dessus de tout nom.

C'est lui le vainqueur très puissant
De l'Antéchrist tout plein de sang ;
C'est lui qui du monstre en furie
Remporte un trophée éminent.

1. Le poète mélange sans scrupule différents détails de l'Apocalypse. Cf. les références scripturaires.

Euangelista summi
fidissimus Magistri,
signata quae latebant,
nebulis uidet remotis : 80

ipsum Tonantis agnum,
de caede purpurantem,
qui conscium futuri
librum resignat unus.

Huius manum potentem 85
gladius perarmat anceps,
et fulgurans utrimque
duplicem minatur ictum.

Quaesitor ille solus
animaeque corporisque, 90
ensisque bis timendus
prima ac secunda mors est.

Idem tamen benignus
ultor retundit iram,
paucosque non piorum 95
patitur perire in aeuum.

Huic inclytus perenne
tribuit Pater tribunal ;
hunc obtinere iussit
nomen supra omne nomen. 100

Hic praepotens cruenti
extinctor Antichristi,
qui de furente monstro
pulchrum refert tropaeum ;

81 Apoc. 5, 6-9 || 85 Apoc. 1,16 et 19, 15 || 90 Hebr. 4,12 || 92 Apoc. 2, 11 ; 20, 6 et 14 || 97 Ioh. 5, 22. Act. 17, 31 || 99 Phil. 2, 9

105 La bête avide, insatiable,
Qui s'en va dévorant les peuples,
Cette Charybde sanguinaire,
Est maudite à jamais par Jean.

Car elle a osé usurper
110 Un nom qui était consacré ;
Le vrai Christ la tue et la jette
Jusques au fond de la géhenne.

Tel est le sommeil qui détend
L'âme de ce juste héros,
115 Et, de son esprit pénétrant,
Lui fait parcourir tout le ciel.

Nous ne méritons rien de tel,
Nous qu'emplit fréquemment l'erreur,
Et que la passion du mal
120 Enracinée en nous, corrompt.

Il nous suffit qu'un doux repos
Ranime notre corps lassé,
Satisfaits si nulle ombre vaine
Ne nous fait d'affreuses menaces.

125 Serviteur de Dieu, souviens-toi
Que tu reçus la rosée sainte
De la fontaine baptismale,
Que tu fus marqué du saint chrême [1].

Prends soin, à l'appel du sommeil
130 Lorsque tu gagnes ton lit chaste,
De faire le signe de croix
Sur ton front comme sur ton cœur.

1. Du sacrement de confirmation.

quam bestiam capacem 105
populosque deuorantem,
quam sanguinis Carybdem
Iohannis execratur;

hanc nempe, quae, sacratum
praeferre nomen ausa, 110
imam petit gehennam
Christo perempta uero.

Tali sopore iustus
mentem relaxat heros,
ut spiritu sagaci 115
caelum peragret omne.

Nos nil meremur horum,
quos creber inplet error,
concreta quos malarum
uitiat cupido rerum. 120

Sat est quiete dulci
fessum fouere corpus;
sat, si nihil sinistrum
uanae minentur umbrae.

Cultor Dei, memento 125
te fontis et lauacri
rorem subisse sanctum,
te chrismate innotatum.

Fac, cum uocante somno
castum petis cubile, 130
frontem locumque cordis
crucis figura signet.

105 Apoc. cap. 13 et 19 || 109-112 II Thess. 2, 4 et 8.

109 haec *M O S U*, *C D* (*mg.* ł hanc) || 129 uacante *AP*, *C p. c.* uocante (ł a *s.* o) *D* uocate *V*

La croix repousse toute faute,
Et met en fuite les ténèbres ;
135 L'esprit que consacre un tel signe
Ne saurait plus être agité.

Loin, ô bien loin de nous les monstres
De ces songes qui vagabondent!
Va-t-en, ô démon imposteur,
140 Avec ta ruse opiniâtre !

Démon, ô serpent tortueux,
Toi qui, par tes mille méandres
Et par tes fraudes sinueuses,
Agites les paisibles cœurs,

145 Eloigne-toi, le Christ est là ;
Oui, le Christ est là, disparais!
Le signe que tu connais bien
Condamne toute ta cohorte.

Bien que notre corps, fatigué,
150 Gise doucement incliné,
Néanmoins dans le sommeil même,
Nous penserons, ô Christ, à toi.

Crux pellit omne crimen,
fugiunt crucem tenebrae,
tali dicata signo 135
mens fluctuare nescit.

Procul, o procul uagantum
portenta somniorum !
procul esto peruicaci
praestrigiator astu ! 140

O tortuose serpens,
qui mille per meandros
fraudesque flexuosas
agitas quieta corda,

discede, Christus hic est, 145
hic Christus est, liquesce !
signum, quod ipse nosti,
damnat tuam cateruam.

Corpus licet fatiscens
iaceat recline paulum, 150
Christum tamen sub ipso
meditabimur sopore.

137 Vg. A. 6, 258.
150 paulo *MOS*, *C p.c.*

VII

HYMNE DE CEUX QUI JEUNENT

Le jeûne purifie le cœur. Exemples de jeûnes illustres : Elie, Moïse, Jean-Baptiste; Jonas et les Ninivites ; Jésus dans le désert. Puissance du jeûne allié à l'aumône. — Trimètres (sénaires) ïambiques.

O Nazaréen, lumière de Bethléem, Verbe du Père, toi qu'enfantèrent des entrailles virginales, assiste, ô Christ, à nos chastes privations ; ô notre roi, regarde
5 avec bienveillance notre fête, où nous t'offrons le sacrifice de nos jeûnes.

Rien de plus pur, assurément, que cet acte mystique, qui calme les fibres d'un cœur bouillant, dompte l'intempérance de la chair, et empêche qu'un
10 embonpoint suant l'ivresse fétide n'étouffe l'esprit, n'accable la pensée.

Le jeûne subjugue la sensualité et la honteuse gourmandise, la vile indolence qui ne sait que boire et dormir, la débauche malpropre, les plaisanteries im-
15 modestes ; par lui les vices divers des sens énervés se sentent soumis à une discipline stricte.

Car si l'on s'abandonne effrontément au manger et au boire, sans maîtriser son corps par des jeûnes rituels, il arrive que la noble flamme de l'esprit, alan-
20 guie par des plaisirs constants, perde de sa chaleur, et que l'âme s'endorme dans le cœur paresseux.

VII

HYMNVS IEIVNANTIVM

O Nazarene, lux Bethlem, Verbum Patris,
quem partus alui uirginalis protulit,
adesto castis, Christe, parsimoniis,
festumque nostrum, rex, serenus aspice,
ieiuniorum dum litamus uictimam ! 5

Nil hoc profecto purius mysterio,
quo fibra cordis expiatur uiuidi,
intemperata quo domantur uiscera,
aruina putrem ne resudans crapulam
obstrangulatae mentis ingenium premat. 10

Hinc subiugatur luxus et turpis gula,
uini atque somni degener socordia,
libido sordens, inuerecundus lepos ;
uariaeque pestes languidorum sensuum
parcam subactae disciplinam sentiunt. 15

Nam si licenter diffluens potu et cibo
ieiuna rite membra non coerceas,

hymnus ieiunantium *codd.* (ymnus *CDM*, incipit ymnus *SU*, incipit hymnus O). *Hymnus deficit in B usque ad u. 149.*
4 accipe *U*

Imposons donc un frein aux passions de nos corps, et qu'au-dedans de nous la prudence purifiée brille d'un vif éclat; la finesse et la perspicacité de notre esprit s'éveilleront, son souffle s'élargira librement, et 25 il priera mieux le Père de l'univers.

C'est en observant ces préceptes que grandit Elie, le vieux prêtre[1] ; il habitait une campagne aride ; retiré dans la retraite, loin de tout bruit du monde, il dédaignait, dit-on, la fréquentation des pécheurs, et 30 préférait jouir du chaste silence des Syrtes[2].

Bientôt, il s'envola, emporté dans les airs sur un char rapide à l'attelage de feu, pour que le monde odieux ne souillât pas de la contagion de son haleine malpropre[3] ce héros pacifique, célèbre par ses jeûnes 35 d'autrefois, que Dieu avait agréés.

Moïse, fidèle interprète du trône redoutable, ne put pas contempler le prince du ciel aux sept voûtes[4], avant que le soleil, ce voyageur du firmament, ne l'eût vu, pendant quatre fois dix de ses révolutions autour 40 de la terre[5], se priver de toute nourriture.

Pendant qu'il priait alors, sa seule nourriture fut ses larmes ; toute la nuit il se tint prosterné le front dans le sable du sol humide, arrosé de ses larmes ; jusqu'à ce qu'appelé par la voix de Dieu qui lui par- 45 lait, il contemplât, saisi de crainte, le feu qu'aucun regard ne saurait supporter.

1. Élie, d'après la Bible, n'était pas à proprement parler un *prêtre* ; c'était un *prophète* ; mais en poésie on ne saurait s'étonner de voir prendre l'un pour l'autre deux mots de sens aussi voisin.

2. La Grande et la Petite Syrte étaient deux golfes de la Libye (aujourd'hui golfes de Sidra et de Kabs). Le mot Syrtes désigne aussi, par extension, le pays désertique baigné par elles. Ici il est pris par métonymie dans le sens de *désert*, peut-être par souvenir d'Horace, *Od.*, 1, 22, 5 *siue per Syrtis iter aestuosas... facturus.*

3. C'est-à-dire : pour que son cadavre ne fût pas enterré parmi les hommes.

4. Les anciens se figuraient le ciel comme la superposition de plusieurs voûtes de cristal (généralement sept, d'après le nombre des planètes), auxquelles les astres étaient fixés comme des clous d'or.

5. Périphrase alambiquée pour : quarante jours. Sur l'expression

sequitur, frequenti marcida oblectamine
scintilla mentis ut tepescat nobilis,
animusque pigris stertat ut praecordiis. 20

Frenentur ergo corporum cupidines,
detersa et intus emicet prudentia ;
sic excitato perspicax acumine
liberque flatu laxiore spiritus
rerum parentem rectius precabitur. 25

Helia tali creuit obseruantia,
uetus sacerdos, ruris hospes aridi,
fragore ab omni quem remotum et segregem
spreuisse tradunt criminum frequentiam,
casto fruentem syrtium silentio. 30

Sed mox in auras igneis iugalibus
curruque raptus euolauit praepete,
ne de propinquo sordium contagio
dirus quietum mundus afflaret uirum
olim probatis inclytum ieiuniis. 35

Non ante caeli principem septemplicis
Moses, tremendi fidus interpres throni,
potuit uidere, quam decem recursibus
quater uolutis sol peragrans sidera
omni carentem cerneret substantia. 40

Victus precanti solus in lacrimis fuit ;
nam flendo pernox inrigatum puluerem
humi madentis ore pressit cernuo,
donec, loquentis uoce perstrictus Dei,
expauit ignem non ferendum uisibus. 45

26 III Reg. 19, 4-9 || 31 IV Reg. 2, 11 || 36 Exod. 24, 18 ; 34, 28.

20 ut : in *Arevalo cum codd. dett.* || 22 et : ut *M O S U* || 32 praepeti *M O S U* , *C p. c.* || *u. 36-105 desunt in S* || 41 precantis *C D O U* || 44 praestrictus *Arevalo cum C D N E M*, *A p. c.*

Jean[1] ne pratiquait pas moins bien cette méthode du jeûne, lui qui fut le précurseur du fils du Dieu éternel, qui redressa les sentiers sinueux, qui corrigea les dé-
50 tours tortueux, et montra la voie à suivre en ligne droite.

En établissant le chemin pour la venue prochaine de Dieu, ce messager, avec obéissance, remplissait sa mission d'aplanir les montagnes, d'adoucir les aspérités, de faire en sorte que, quand elle descendrait sur la terre, la
55 Vérité n'y trouvât pas de sentier où l'on pût s'égarer.

Sa naissance n'eut pas lieu selon la loi commune. Car pour cet enfant tard venu, des mamelles déshabituées du lait[2] se gonflèrent dans la poitrine vieillie de
60 sa mère ; et son enfantement sénile n'eut pas lieu avant qu'il annonçât que la Vierge portait l'Enfant-Dieu[3].

Par la suite il se retira dans de vastes déserts, vêtu de peaux hirsutes, ou couvert d'un habit de poils ou de laine grossière, car il avait horreur d'être souillé,
65 contaminé, par les mœurs impures des villes.

Là-bas, offrant à Dieu ses abstinences, ce héros si sobre, à l'austère activité, refusait aliments et boisson jusque tard dans la soirée ; il s'était accoutumé à ne donner à son corps que peu de nourriture, consistant
70 en sauterelles et en rayons de miel sauvage.

Ce fut lui qui le premier prêcha et enseigna la nouvelle doctrine du salut ; car dans le fleuve sacré il lavait et effaçait les taches des anciennes fautes ; une fois qu'il avait purifié le corps par le baptême, le
75 Saint-Esprit brillant y descendait du ciel[4].

périphrastique des noms de nombre chez Prudence, cf. notre *Etude*, §§ 961 sqq.

1. Jean-Baptiste, fils de Zacharie et d'Élisabeth.

2. *Déshabituées* est inexact, puisque Élisabeth n'avait jamais eu d'enfant avant Jean-Baptiste.

3. Le poète interprète assez librement la scène rapportée par Luc, 1, 39 sqq.

4. Lors du baptême de Jésus, « l'Esprit Saint descendit sur lui sous une forme corporelle, comme une colombe », dit l'Évangile (Luc, 3, 22). Prudence veut dire sans doute que l'Esprit Saint descendait aussi, bien que d'une manière invisible, sur les autres baptisés.

Iohannis, huius artis haud minus potens,
Dei perennis praecucurrit filium,
curuos uiarum qui retorsit tramites,
et, flexuosa corrigens dispendia,
dedit sequendam calle recto lineam. 50

Hanc obsequellam praeparabat nuntius,
mox adfuturo construens iter Deo,
cliuosa planis, confragosa ut lenibus
conuerterentur, neue quidquam deuium
inlapsa terris inueniret Veritas. 55

Non usitatis ortus hic natalibus :
oblita lactis iam uieto in pectore
matris tetendit serus infans ubera,
nec ante partu de senili effusus est
quam praedicaret uirginem plenam Deo. 60

Post in patentes ille solitudines,
amictus hirtis bestiarum pellibus
saetisue tectus hispida et lanugine,
secessit, horrens inquinari ac pollui
contaminatis oppidorum moribus. 65

Illic dicata parcus abstinentia
potum cibumque uir seuerae industriae
in usque serum respuebat uesperum,
rarum lucustis et fauorum agrestium
liquore pastum corpori suetus dare. 70

Hortator ille primus et doctor nouae
fuit salutis ; nam sacrato in flumine
ueterum piatas lauit errorum notas ;
sed tincta postquam membra defaecauerat,
caelo refulgens influebat Spiritus. 75

46 Matth. 3, 3-4 || 53 Luc. 3, 4-5 || 56 Luc. 1, 18, et 41-42 || 72 Luc. 3, 3
56 Hor. Epod. 5, 73
69 rarum : parum *D* paruum *Arevalo cum V N E M O U, C P mg.*

On revenait de ce baptême, débarrassé de la souillure des péchés et né à une vie nouvelle : comme brille d'un bel éclat l'or que la fusion fait sortir du minerai grossier, ou comme scintille le métal d'argent, luisant
80 bien clair quand on a poli sa pureté.

Je veux maintenant raconter l'histoire glorieuse[1] d'un jeûne d'autrefois, rapporté par un Livre véridique, et dire comment la foudre du Père bienveillant, apaisée, épargna, en retenant ses feux
85 avec bonté, les habitants d'une ville qui allait être détruite.

Jadis florissait une nation très puissante, à l'orgueil insolent ; la corruption, le dérèglement l'avaient fait tomber dans un indigne libertinage général. Obstinément rebelle, dans un dédain stupide, elle négligeait
90 le culte du Dieu d'en haut.

Sous l'offense enfin, la Justice toujours indulgente s'émeut d'une légitime colère. Dieu arme sa droite de la flamme de son glaive ; il brandit, il agite des averses grondantes, des tourbillons pleins de fracas,
95 au sein de nuages où luisent les flammes du tonnerre.

Mais, en leur accordant un court délai de repentir, pour le cas où ils voudraient dompter, maîtriser leur impureté méchante et leur ancienne dissipation, le Juge terrible et indulgent retint ses coups, et suspen-
100 dit quelques jours l'effet de la sentence portée.

Le doux Vengeur fait partir le prophète Jonas pour leur annoncer le châtiment qui les attend. Mais, en homme qui savait que le Juge menaçant aime mieux sauver que frapper et punir, Jonas fuit, en cachette,
105 secrètement, vers Tharsis[2].

1. Sur le sens du mot *stemma*, qui revient huit fois chez Prudence, cf. notre *Étude*, § 1323.

2. On ne sait de quelle ville il s'agit. On a proposé Tarse en Cilicie (Asie Mineure), patrie de saint Paul, ou Carthage ; peut-être Tharsis désigne-t-il une ville lointaine indéterminée, comme *Thule* en latin désigne l'extrême nord.

Hoc ex lauacro labe dempta criminum
ibant renati, non secus quam si rudis
auri recocta uena pulchrum splendeat,
micet metalli siue lux argentei,
sudum polito praenitens purgamine. 80

Referre prisci stemma nunc ieiunii
libet fideli proditum uolumine,
ut diruendae ciuitatis incolis
fulmen benigni mansuefactum Patris
pie repressis ignibus pepercerit. 85

Gens insolenti praepotens iactantia
pollebat olim, quam fluentem nequiter
corrupta uulgo soluerat lasciuia,
et inde bruto contumax fastidio
cultum Superni neglegebat Numinis. 90

Offensa tandem iugis indulgentiae
censura iustis excitatur motibus ;
dextram perarmat romphaeali incendio ;
nimbos crepantes et fragosos turbines
uibrans tonantum nube flammarum quatit. 95

Sed paenitendi dum datur diecula,
si forte uellent inprobam libidinem
ueteresque nugas condomare ac frangere,
suspendit ictum terror exorabilis,
paulumque dicta substitit sententia. 100

Ionam prophetam mitis Vltor excitat,
poenae inminentis iret ut praenuntius ;
sed nosset ille qui minacem iudicem
seruare malle quam ferire ac plectere,
tectam latenter uertit in Tharsos fugam. 105

83 Ion. 3,5-10 || 103 Ezech. 18, 23 ; 33, 11 || 105 Ion. cap. 1 et 2.

81 stemma prisci *Bergman cum A N P M ; sed cf. G. Meyer, Prudentiana in Philologus 87 (1932) p. 251* || 84 benignum *A D P (mg. l* benigne), *C a. c.* benignae m. dexterae *C D mg., E supra* || 103 qui : cum *M O U, E p. c. Cmg.* qui (*s.* al. cum) *D V*

Il monte dans un haut navire, par la passerelle disposée à cet effet ; on largue les amarres mouillées qui retenaient la poupe, on vogue vers le large ; la mer devient orageuse ; on cherche alors la cause de ce si
110 grand péril ; on jette le sort, il tombe sur le prophète fugitif.

Seul coupable parmi tous, il reçoit l'ordre de périr, puisque l'urne, agitée, avait révélé son crime. On le précipite à la mer la tête la première, et il s'enfonce au sein des eaux. Il est alors happé par la gorge d'un
115 animal énorme, et englouti tout vivant dans la caverne que forme son vaste ventre.

Proie précipitamment avalée, il esquive la morsure des dents, et franchit la langue impunément, sans l'ensanglanter ; au lieu d'être retenu et déchiqueté comme une bouchée de nourriture par les
120 molaires mouillées de salive, il traverse toute la gueule et passe au delà du palais.

Pendant trois durées de jours et de nuits il reste englouti dans le gosier du monstre ; il errait là dans les replis de ses entrailles, il circulait dans les méandres tortueux de son ventre, et la chaleur intérieure de ce
125 corps le faisait haleter.

Puis quand vint la troisième nuit, le monstre, dans un hoquet, le vomit, le rejeta, intact, sur un rivage où le flot se brisait et venait mourir en murmurant, et où une écume blanche venait battre des rochers salés ;
130 ainsi recraché il sortit du monstre, tout stupéfait d'être sauvé.

Puisque Dieu l'y force, il retourne sur ses pas et se dirige rapidement chez les Ninivites ; après les avoir gourmandés, en leur reprochant sévèrement leurs fautes honteuses : « La colère du Juge suprême est
135 suspendue sur vos têtes, leur dit-il ; et bientôt ses flammes brûleront votre ville, croyez m'en ! »

Celsam paratis pontibus scandit ratem ;
udo reuincta fune puppis soluitur ;
itur per altum ; fit procellosum mare ;
tum causa tanti quaeritur periculi ;
sors in fugacem missa uatem decidit. 110

Iussus perire solus e cunctis reus,
cuius uoluta crimen urna expresserat,
praeceps rotatur et profundo inmergitur ;
exceptus inde beluinis faucibus
alui capacis uiuus hauritur specu. 115

Transmissa raptim praeda cassos dentium
eludit ictus, incruentam transuolans
inpune linguam ; ne retentam mordicus
offam molares dissecarent uuidi,
os omne transit et palatum praeterit. 120

Ternis dierum ac noctium processibus
mansit ferino deuoratus gutture ;
errabat illic per latebras uiscerum,
uentris meandros circumibat tortiles,
anhelus extis intus aestuantibus. 125

Intactus exim tertiae noctis uice
monstri uomentis pellitur singultibus,
qua murmuranti fine fluctus frangitur
salsosque candens spuma tundit pumices ;
ructatus exit seque seruatum stupet. 130

In Nineuitas se coactus percito
gressu reflectit, quos ut increpauerat,
pudenda censor inputans opprobria :
« Inpendet », inquit, « ira Summi Vindicis,
urbemque flamma mox cremabit, credite ! » 135

131 Ion. cap. 3

111 Hor. Epod. 5, 91

119 desecarent *MS* || uiuidi *DO*, *C in ras.* || 134 inpendet *VNU*, *PE p. c.* : inpendit *cett.*

Puis il monte au sommet d'une montagne élevée, pour voir de là les volutes de fumée qui s'élèveront des décombres bouleversés, l'amoncellement de ruines du terrible désastre ; il se voit abrité par les rameaux 140 flexibles, aux nombreux bourgeons, d'une plante qui a poussé soudain et qui le fait jouir de son ombrage.

Mais quand la ville, toute triste, entend cette menace d'un malheur affreux et sans précédent, ah ! elle a un sursaut suprême. Pêle-mêle, à l'intérieur des vastes murailles, courent plèbe et sénat, citoyens de tous 145 âges, jeunes gens livides, femmes éplorées.

Ils veulent apaiser par des jeûnes publics la colère du Christ. On repousse toute nourriture ; les dames retirent leurs bijoux et revêtent des habits sombres ; au lieu de soie et de pierres précieuses [1], c'est une 150 cendre malpropre qu'elles répandent sur leurs cheveux flottants.

Les sénateurs prennent de sombres habits de deuil et restent sans ceinture [2] ; la foule se lamente et adopte le cilice ; les jeunes filles ne se peignent plus ; leurs cheveux sont en désordre comme les poils des bêtes ; elles couvrent leurs visages de voiles noirs ; et les 155 enfants se roulent à terre, dans le sable.

Le roi lui-même arrache son agrafe, et déchire son manteau de laine où brille la pourpre de Cos [3] ; il dépouille le bandeau, insigne de son rang, qui ceignait son front et où étaient cousues des gemmes vertes et 160 des pierres précieuses. Il mêle à ses cheveux une poussière affreuse.

Personne ne pense plus à boire, personne ne pense plus à manger ; toute la jeunesse avait abandonné les tables et restait à jeun ; bien plus, on refuse le lait aux

1. C'est-à-dire d'un diadème.
2. Détail emprunté probablement à Virgile, *En.* 4, 518. Il fait partie de l'attitude du suppliant antique.
3. Ile de la mer Egée, célèbre par ses étoffes de luxe.

Apicem deinceps ardui montis petit,
uisurus inde conglobatum turbidae
fumum ruinae, cladis et dirae struem,
tectus flagellis multinodis germinis,
nato et repente perfruens umbraculo. 140

Sed maesta postquam ciuitas uulnus noui
hausit doloris, heu, supremum palpitat :
cursant per ampla congregatim moenia
plebs et senatus, omnis aetas ciuium,
pallens iuuentus, heiulantes feminae. 145

Placet frementem publicis ieiuniis
placare Christum ; mos edendi spernitur ;
glaucos amictus induit monilibus
matrona demptis, proque gemma et serico
crinem fluentem sordidus spargit cinis. 150

Squalent recincta ueste pullati patres,
saetasque plangens turba sumit textiles ;
inpexa uillis uirgo bestialibus
nigrante uultum contegit uelamine,
iacens harenis et puer prouoluitur. 155

Rex ipse Coos aestuantem murices
laenam reuulsa dissipabat fibula,
gemmas uirentes et lapillos sutiles,
insigne frontis exuebat uinculum,
turpi capillos inpeditus puluere. 160

Nullus bibendi, nemo uescendi memor,
ieiuna mensas pubis omnis liquerat,
quin et negato lacte uagientium
fletu madescunt paruulorum cunulae,
sucum papillae parca nutrix derogat. 165

136 Ion. 4, 5-6
156 Vg. A. 4, 262 || 163 Lucan. 4, 314.
143 congregati *MOS* || 149 *ab hoc uersu incipit B* || 165 denegat *MOS*, *C p. c.*

tout-petits ; ils crient et leurs pleurs mouillent leurs
165 berceaux ; la nourrice avare ne veut pas leur donner
le suc de sa mamelle.

Le soin attentif des gardiens du bétail enferme les
troupeaux eux-mêmes, pour que les bêtes, en vagabondant, n'aillent pas brouter les herbes pleines de
rosée, ni s'abreuver aux sources bruissantes ; devant
170 les mangeoires vides résonnent les plaintes des animaux.

Touché par ces actes et par d'autres semblables,
Dieu refrène sa courte colère, et adoucit, dans sa
bonté, sa sentence terrible ; car sa clémence toute
prête pardonne sans difficulté aux coupables qui le supplient, et se montre bienveillante au repentir en larmes.

Mais pourquoi citer l'exemple d'une antique nation,
quand naguère Jésus, fatigué dans ses membres fragiles, a jeûné, en dépit de la sainteté de son cœur, lui
qui a été nommé d'avance, par la bouche du prophète,
180 Emmanuel, c'est-à-dire : « Dieu avec nous » ?

Lui qui, en suivant la loi stricte de la vertu, a libéré
notre corps, mou par nature, et captif sous le lâche
joug des voluptés ; qui a émancipé la créature esclave,
185 en vainquant la passion qui régnait auparavant sur elle.

Retiré dans un endroit inhospitalier, pendant huit
fois l'espace de cinq jours [1] il ne réclama le réconfort
d'aucune nourriture, affermissant par un jeûne salutaire une chair incapable, dans sa faiblesse, de désirer
les vraies joies [2].

L'Ennemi [3] s'étonne qu'un limon corrompu [4] puisse
supporter, endurer tant de fatigue ; il cherche à sa-

1. Cf. la note sur les vers 38-39.
2. C'est-à-dire les joies célestes. Ce vers est d'ailleurs obscur. On a proposé comme sens : « Une chair dont la faiblesse convoite des jouissances ».
3. Le Démon.
4. Périphrase pour désigner le corps humain, par allusion au récit de la création dans la Genèse.

Greges et ipsos claudit armentalium
sollers uirorum cura, ne uagum pecus
contingat ore rorulenta gramina,
potum strepentis neue fontis hauriat,
uacuis querellae personant praesepibus. 170

Mollitus his et talibus breuem Deus
iram refrenat, temperans oraculum
prosper sinistrum ; prona nam clementia
haud difficulter supplicem mortalium
soluit reatum, fitque fautrix flentium. 175

Sed cur uetustae gentis exemplum loquor,
pridem caducis cum grauatus artubus
Iesus dicato corde ieiunauerit,
praenuncupatus ore qui prophetico
Emmanuel est siue « nobiscum Deus, » 180

qui corpus istud, molle naturaliter
captumque laxo sub uoluptatum iugo,
uirtutis arta lege fecit liberum,
emancipator seruientis plasmatis,
regnantis ante uictor et cupidinis ? 185

Inhospitali namque secretus loco
quinis diebus octies labentibus
nullam ciborum uindicauit gratiam,
firmans salubri scilicet ieiunio
uas adpetendis inbecillum gaudiis. 190

Miratus hostis posse limum tabidum
tantum laboris sustinere ac perpeti,
explorat arte sciscitator callida,
Deusne membris sit receptus terreis ;
sed increpata fraude post tergum ruit. 195

178-186 Matth. 4, 1-2 || 180 Matth. 1, 23. Is. 7, 14 || 190 I Thess. 4, 4 || 195 Matth. 4, 11

171 breui *B a. c.*

voir, par des questions habiles, s'il a affaire à Dieu incarné dans un corps terrestre ; mais Jésus lui re-
195 proche sa ruse, et il s'enfuit en hâte.

Suivons à présent, chacun selon nos forces, l'exemple que tu as donné là, ô Christ, à tes fidèles, toi qui as enseigné la doctrine sacrée ; afin que l'esprit, après avoir vaincu la vorace gourmandise, triomphe large-
200 ment, soit vainqueur de la chair.

C'est là ce que regarde avec une jalousie livide le noir Ennemi, ce que le Maître du monde et du ciel approuve, ce qui nous rend favorable le tabernacle de l'autel, ce qui réveille la foi de l'âme endormie, ce qui
205 ôte, comme une lime, la rouille maladive des cœurs.

Mieux que la flamme ne s'éteint sous les torrents d'eau qui la noient, mieux que les neiges ne fondent sous l'ardeur du soleil, la moisson hideuse des péchés troubles s'évanouit, broyée par le jeûne bien-
210 faisant, si la douce aumône se mêle sans cesse à ce dernier.

Car c'est aussi une magnifique vertu que de vêtir ceux qui sont nus, que de nourrir les indigents, que d'apporter aux suppliants une aide bienveillante, que
215 de penser qu'entre les puissants et les pauvres il n'y a pas de différence de nature et de destinée [1].

Bienheureux celui dont la main droite se tend avide de gloire [2], prodigue d'argent, tandis que sa main gauche ignore son acte charitable ; bientôt, comblé
220 de biens éternels, il sera puissamment riche, car ses bienfaits sont des placements qui lui rapporteront cent pour un.

1. J'emprunte la traduction de ces deux vers à l'abbé Bayle.
2. Il s'agit naturellement de la gloire que sa charité lui vaudra dans le ciel.

Hoc nos sequamur quisque nunc pro uiribus,
quod consecrati tu magister dogmatis
tuis dedisti, Christe, sectatoribus,
ut, cum vorandi uicerit libidinem,
late triumphet imperator spiritus. 200

Hoc est, quod atri liuor hostis inuidet,
mundi polique quod Gubernator probat,
altaris aram quod facit placabilem,
quod dormientis excitat cordis fidem,
quod limat aegram pectorum rubiginem. 205

Perfusa non sic amne flamma extinguitur,
nec sic calente sole tabescunt niues,
ut turbidarum scabra culparum seges
uanescit almo trita sub ieiunio,
si blanda semper misceatur largitas. 210

Est quippe et illud grande uirtutis genus :
operire nudos, indigentes pascere,
opem benignam ferre supplicantibus,
unam paremque sortis humanae uicem
inter potentes atque egenos ducere. 215

Satis beatus, quisque dextram porrigit
laudis rapacem, prodigam pecuniae,
cuius sinistra dulce factum nesciat ;
illum perennes protinus conplent opes,
ditatque fructus faenerantem centiplex. 220

203 Matth. 5, 23-24 || 205 et 210 Tob. 4, 11 ; 12, 9 || 212 Matth. 25, 35-40 || 218 Matth. 6,3

216 Hor. C. 2, 18, 14

205 pectoris robiginem (pect *et* ro *in ras.*) *B* corporis libidinem *C D E* (*mg.* pectorum rubiginem)

VIII

HYMNE APRÈS LE JEUNE

Le Christ, dans son indulgence, n'exige qu'un jeûne modéré. Il est le Bon Pasteur, envers qui nous ne montrerons jamais assez de reconnaissance. — Strophe saphique.

O Christ, gouverneur de tes fidèles, qui nous conduis avec des rênes douces, nous imposes un frein léger, et nous maintiens dans le devoir par les barrières d'une loi facile !

5 Bien que toi-même, lorsque tu portais le fardeau encombrant du corps, tu aies supporté de dures fatigues, et donné ainsi de grands exemples, tu ménages tes serviteurs par des préceptes indulgents.

La neuvième heure fait pencher le soleil, qui s'abaisse vers l'horizon ; il n'y a guère que les trois quarts
10 du jour qui soient révolus ; le dernier quart reste encore à parcourir dans la voûte du ciel.

Pourtant nous prenons un repas ; c'est déjà l'heure de rompre le jeûne religieux que nous avions promis d'observer quelque temps ; nous jouissons d'une table
15 largement garnie, qui nous permet de goûter le plaisir que réclame la nature.

La bienveillance du Maître éternel est tellement grande, son enseignement indulgent nous attire en nous exhortant si amicalement, que lui obéir est aisé
20 et doux pour le corps.

VIII

HYMNVS POST IEIVNIVM

Christe, seruorum regimen tuorum,
mollibus qui nos moderans habenis
leniter frenas facilique saeptos
lege coerces,

ipse cum portans onus inpeditum 5
corporis duros tuleris labores,
maior exemplis famulos remisso
dogmate palpas.

Nona summissum rotat hora solem ;
partibus uixdum tribus euolutis, 10
quarta deuexo superest in axe
portio lucis ;

nos breuis uoti dape uindicata
soluimus festum, fruimurque mensis
adfatim plenis, quibus inbuatur 15
prona uoluptas.

Tantus aeterni fauor est Magistri,
doctor indulgens ita nos amico
lactat hortatu, leuis obsequella ut
mulceat artus. 20

19 Matth. 11, 29

6 Vg. A. 6, 437

hymnus (ymnus *C D M U*, incipit ymnus *S*) post ieiunium *codd.*

Il ordonne, de plus, qu'on ne dépare pas son front par une chevelure négligée et sale, mais au contraire qu'on peigne et qu'on soigne cet ornement du visage, cette beauté de la tête.

25 « Quand vous jeûnez, dit-il, faites bien la toilette de tout votre corps ; ne laissez pas sur votre figure un teint jaunâtre remplacer les couleurs rosées ; qu'on ne remarque pas de pâleur sur votre face ».

Il est préférable de couvrir d'une réserve souriante 30 tout ce que nous faisons pour honorer le Père ; Dieu voit les actes secrets, et récompense ceux qui se cachent.

Quand une brebis, fatiguée par la maladie, s'est égarée, loin du troupeau en bonne santé, effilochant, 35 de façon malheureuse, sa toison aux ronces qui se dressent dans les détours d'une forêt hérissée,

c'est lui qui, Pasteur diligent, la rappelle, la charge sur ses épaules, et la porte, en écartant les loups; puis 40 après l'avoir nettoyée, il la ramène, il la rend au bercail ensoleillé.

Il la rend aussi aux prés, à la campagne verdoyante, où ne frémit aucune épine sur des bardanes en désordre, où aucun chardon piquant n'arme de pointes ses pousses.

45 Là des bosquets abondent en palmiers, l'herbe printanière fait à la terre une chevelure ondoyante, et le laurier vivace ombrage le cristal d'un ruisseau aux eaux vives.

Pour de pareils dons, Pasteur dévoué, quel esclavage pourra jamais te payer de retour? Il n'est pas 50 de vœux ni de prières qu'on puisse mettre en balance avec la valeur du Salut !

Addit et, ne quis uelit inuenusto
sordidus cultu lacerare frontem,
sed decus uultus capitisque pexum
comat honorem :

« Terge ieiunans », ait, « omne corpus, 25
neue subducto faciem rubore
luteus tinguat color aut notetur
pallor in ore ».

Rectius laeto tegimus pudore
quidquid ad cultum Patris exhibemus ; 30
cernit occultum Deus et latentem
munere donat.

Ille ouem morbo residem gregique
perditam sano, male dissipantem
uellus adfixis uepribus per hirtae 35
deuia siluae,

inpiger Pastor reuocat, lupisque
gestat exclusis umeros grauatus ;
inde purgatam reuehens aprico
reddit ouili ; 40

reddit et pratis uiridique campo,
uibrat inpexis ubi nulla lappis
spina, nec germen sudibus perarmat
carduus horrens,

sed frequens palmis nemus et reflexa 45
uernat herbarum coma, tum perennis
gurgitem uiuis uitreum fluentis
laurus obumbrat.

Hisce pro donis tibi, fide Pastor,
seruitus quaenam poterit rependi ? 50
Nulla conpensant pretium salutis
uota precantum.

21 Matth. 6, 16-18 || 31 Matth. 6, 4-6 || 33 Luc. 15, 4-6

32 Hor. C. 4, 2, 20

34 sano *in ras.* (*mg.* sanat) *C* sanat *O*, *V N p. c. m*², *P E p.c.* || 38 humeros *C D V E M O S U*, *P p. c.* grauatos *C D V P E O*, *N p. c.*

Même si, dédaignant avec excès toute nourriture, nous épuisions, nous amaigrissions volontairement nos membres, même si, méprisant tout repas, nous pas-
55 sions à te prier nos jours et nos nuits,

notre obéissance, notre zèle à te plaire, auraient toujours le dessous; ils ne sauraient égaler les bienfaits de notre Créateur. D'autre part la pratique excessive
60 des mortifications affaiblit notre corps de boue [1].

Aussi, de peur que nos forces ne soient brisées et n'abandonnent notre limon fragile ; de peur que dans nos veines anémiques ne règne plus qu'un fluide aqueux, privant de toute énergie notre corps malade,

65 les règles de l'abstinence sont flottantes et libérales pour tous ; nous ne sommes pas contraints par une terreur rigoureuse ; chacun n'est obligé à vouloir que ce dont il est capable.

Il suffit, quoi que l'on fasse, d'invoquer l'approba-
70 tion de Dieu avant de rien commencer, soit que l'on refuse le repas, soit que l'on se décide à prendre de la nourriture.

Dieu dans sa bonté nous approuve, nous regarde d'un œil favorable et propice ; de notre côté nous
75 avons confiance qu'il nous sera salutaire de prendre des mets consacrés.

Oui, que ce soit pour nous un bien, nous t'en conjurons instamment ; que ce repas apporte à nos membres un réconfort et nourrisse en même temps
80 notre âme, en se répandant dans nos veines de chrétiens qui te supplient !

1. Cf. note sur le vers 7, 191.

Quamlibet spreto sine more pastu
sponte confectos tenuemus artus,
teque contemptis epulis rogemus 55
nocte dieque,

uincitur semper minor obsequentum
cura, nec munus genitoris aequat;
frangit et cratem luteam laboris
grandior usus. 60

Ergo, ne limum fragilem solutae
deserant uires et aquosus albis
umor in uenis dominetur aegrum
corpus eneruans,

laxus ac liber modus abstinendi 65
ponitur cunctis neque nos seuerus
terror inpellit; sua quemque cogit
uelle potestas.

Sufficit, quidquid facias, uocato
Numinis nutu prius inchoare, 70
siue tu mensam renuas, cibumue
sumere temptes.

Adnuit dexter Deus, et secundo
prosperat uultu, uelut hoc salubre
fidimus nobis fore, quod dicatas 75
carpimus escas.

Sit bonum, supplex precor, et medellam
conferat membris, animumque pascat
sparsus in uenas cibus obsecrantum
christicolarum! 80

62 Hor. C. 2, 2, 15 || 79 Lucr. 2, 1136
71 rennuas *B*, *E p. c.* renouas *MS* renoues *U*

IX

HYMNE DE TOUTE HEURE

Merveilles de la vie du Christ. Les prophéties. Sa naissance. Ses miracles. Sa descente aux enfers. Son Ascension. Que les hommes et l'univers entier le louent! — Tétramètres trochaïques catalectiques.

Esclave [1], donne-moi ma lyre [2], afin que je chante en trochées [3] pleins de foi, un poème doux et mélodieux : les actes sublimes du Christ! Que notre muse ne célèbre que lui, à lui les louanges de notre lyre !

C'est le Christ dont un roi-prêtre [4], la tête ornée de bandelettes sacrées [5], annonçait l'avènement futur,
5 de sa voix, de son luth et de son tambourin, le cœur rempli de l'Esprit Saint qui, du ciel, descendait en lui.

Ce sont des miracles accomplis et bien prouvés, que nous célébrons ; le monde en fut témoin, et la terre elle-même ne nie pas ce qu'elle a vu : un Dieu est venu se mêler aux hommes pour les instruire de tout près.

1. Pour le sens de *puer* ici, cf. par ex. Horace, *Odes*, 1, 38, 1.
2. Le poète dit exactement : « mon plectre », c'est-à-dire la baguette d'ivoire avec laquelle on touchait les cordes de la lyre.
3. Pieds composés d'une longue suivie d'une brève.
4. David.
5. C'était les prêtres païens de Rome qui portaient des bandelettes. Il arrive souvent à Prudence d'attribuer à l'antiquité juive des détails empruntés au paganisme.

IX

HYMNVS OMNIS HORAE

Da, puer, plectrum, choraeis ut canam fidelibus
dulce carmen et melodum, gesta Christi insignia!
Hunc camena nostra solum pangat, hunc laudet lyra.

Christus est, quem rex sacerdos adfuturum protinus
infulatus concinebat uoce, corda et tympano, 5
spiritum caelo influentem per medullas hauriens.

Facta nos et iam probata pangimus miracula;
testis est orbis, nec ipsa terra quod uidit negat:
comminus Deum docendis proditum mortalibus.

Corde natus ex Parentis ante mundi exordium, 10
alfa et Ω cognominatus, ipse fons et clausula
omnium, quae sunt, fuerunt, quaeque post futura sunt.

4 Act. 2, 30-31 || 10 Ioh. 17, 5 || 11 Apoc. 1, 8; 21, 6

12 Vg. G. 4, 392

hymnus (himnus *N*, ymnus *C D*) omnis horae *A B C D V N P* hymnus omni hore (re *in ras.*) *E* ymnus (hymnus *O*, incipit ymnus *S*) omni hora *M O S U*

10 Il est né du cœur de son Père avant le commencement du monde, il est surnommé l'*alpha* et l'*oméga*, il est à la fois le principe et la fin de tout ce qui est, qui fut et qui sera plus tard.

A son ordre furent créés, à sa parole furent faits la terre, le ciel, la fosse de la mer, ces trois parties de l'univers, et tous les êtres qui vivent sous les hauts
15 globes du soleil et de la lune.

Il a revêtu la forme d'un corps périssable, des membres sujets à la mort, pour empêcher de périr la race qui descend du premier homme créé, qu'une loi terrible avait plongée dans les profondeurs du Tartare.

O la bienheureuse naissance, lorsque la Vierge
20 mère, fécondée par le Saint-Esprit, mit au monde notre salut, et que l'Enfant, Rédempteur du monde, montra sa tête sacrée !

Que les profondeurs du ciel chantent ; chantez tous, ô anges, que toutes les Vertus du monde chantent la louange de Dieu ; que nulle langue ne se taise, et que toute voix retentisse !

25 Voici celui que les poètes célébraient dans les siècles antiques, celui qu'avaient annoncé les pages fidèles des prophètes ; le Sauveur promis apparaît ; que tout chante ses louanges !

De l'eau versée dans des coupes devient un noble Falerne [1] ; le serviteur annonce que c'est du vin que
30 l'on a tiré des urnes remplies d'eau ; le roi [2] lui-même est stupéfait de voir les verres colorés par un breuvage plein de saveur.

1. Métonymie pour : « du vin ». Falerne est en Campanie ; l'emploi de ce mot italien dans le récit d'un miracle fait en Palestine est curieux ; mais Prudence ne s'embarrasse pas de scrupules à ce sujet Cf. 5, 56 ; 6, 69 ; 7, 151, etc.

2. C'est-à-dire peut-être : « le maître de maison », ou bien : « le roi

Ipse iussit, et creata, dixit ipse, et facta sunt
terra, caelum, fossa ponti, trina rerum machina,
quaeque in his uigent sub alto solis et lunae globo. 15

Corporis formam caduci, membra morti obnoxia
induit, ne gens periret primoplasti ex germine,
merserat quem lex profundo noxialis tartaro.

O beatus ortus ille, Virgo cum puerpera
edidit nostram salutem feta Sancto Spiritu, 20
et Puer Redemptor orbis os sacratum protulit !

Psallat altitudo caeli, psallite, omnes angeli ;
quidquid est uirtutis usquam, psallat in laudem Dei ;
nulla linguarum silescat, uox et omnis consonet !

Ecce, quem uates uetustis concinebant saeculis, 25
quem prophetarum fideles paginae spoponderant ;
emicat promissus olim, cuncta conlaudent eum !

Cantharis infusa lympha fit Falernum nobile ;
nuntiat uinum minister esse promptum ex hydria ;
pse rex sapore tinctis obstupescit poculis. 30

« Membra morbis ulcerosa, uiscerum putredines
mando ut abluantur », inquit : fit ratum, quod iusserat ;
turgidam cutem repurgant uulnerum piamina.

13 Psalm. 148, 5 || 28 Ioh. 2, 9 || 31 Matth. 8, 3

18 quem *AEU*, *CPa. c.* quem *D* (ł a *s.* e) : quam *cett.* || 22 psallite : psallant *EOSU*, *CD* (*mg.* psallite), *N p. r.* psallat (n *s.* at) *M*

« J'ordonne aux membres couverts d'ulcères, j'ordonne aux chairs corrompues, de s'assainir », dit-il. Son commandement s'exécute ; les blessures se guérissent et laissent purifiée la peau naguère pustuleuse.

Les yeux d'un malheureux étaient ensevelis dans 35 des ténèbres éternelles ; tu les enduis d'une boue salutaire et du nectar de ta bouche sacrée[1] ; ce remède bientôt ouvre ces yeux et leur rend la lumière.

Tu gourmandes le vent furieux, parce que, dans une terrible tempête, il bouleverse la mer jusqu'en ses profondeurs et ballotte le navire errant. Le vent obéit à tes ordres, l'onde s'étale doucement.

40 Une femme touche furtivement le bord de ton vêtement sacré ; la guérison suit aussitôt ; son visage perd sa pâleur, et son incessant écoulement de sang s'arrête.

Il avait vu un jeune homme enlevé par la mort à la fleur de l'âge ; sa mère en deuil accompagnait ses funérailles de ses larmes suprêmes. « Lève-toi », lui 45 dit-il ; l'enfant se lève, et Jésus le rend debout à sa mère.

Lazare est déjà mort depuis trois jours, il est déjà enfoui dans le sépulcre ; Jésus lui ordonne de retrouver sa vigueur, et lui rend la respiration ; dans sa poitrine[2] fétide revient et rentre le souffle de la vie.

Il se promène parmi les flots de la mer, il foule du pied la crête des vagues ; le liquide fluide de l'abîme 50 lui fournit un chemin suspendu, l'eau ne s'entr'ouvre pas sous la pression de ses pieds sacrés.

Un dément enchaîné, constamment agité dans le tombeau qui lui sert d'antre, poussé par une fureur sauvage, s'élance, se précipite, en suppliant, quand il sait que le Christ est là.

du banquet », élu par les convives pour décider du nombre de coupes que chacun devait boire : si cette seconde interprétation est exacte, ce détail est à ajouter à la liste des anachronismes de notre auteur.

1. Périphrase pour : ta salive.
2. Prudence dit : dans son foie. Cf. la note sur le vers 3, 180.

Tu perennibus tenebris iam sepulta lumina
inlinis limo salubri sacri et oris nectare ; 35
mox apertis hac medella lux reducta est orbibus.

Increpas uentum furentem, quod procellis tristibus
uertat aequor fundo ab imo, uexet et uagam ratem ;
ille iussis obsecundat, mitis unda sternitur.

Extimum uestis sacratae furtim mulier adtigit ; 40
protinus salus secuta est : ora pallor deserit,
sistitur riuus, cruore qui fluebat perpeti.

Exitu dulcis iuuentae raptum ephebum uiderat,
orba quem mater supremis funerabat fletibus ;
« surge », dixit ; ille surgit, matri et adstans redditur.

Sole iam quarto carentem, iam sepulcro absconditum
Lazarum iubet uigere reddito spiramine ; 46
foetidum iecur reductus rursus intrat halitus.

Ambulat per stagna ponti, summa calcat fluctuum ;
mobilis liquor profundi pendulam praestat uiam, 50
nec fatiscit unda sanctis pressa sub uestigiis.

Suetus antro bustuali sub catenis frendere,
mentis inpos efferatis percitus furoribus
prosilit ruitque supplex, Christum adesse ut senserat.

34 Ioh. 9, 6-7 || 37 Matth. 8, 26 || 40 Matth. 9, 20-22 || 43 Luc. 7, 12-15 || 46 Ioh. 11, 39-44 || 49 Matth. 14, 25 || 52 Marc. 5, 2-13

41 Hor. Epod. 7, 15 || 43 Hor. C. 1, 16, 23

58.60 *uersuum ordinem inuersum* (*60, 59, 58*) *habent E M, V p. c.*

55 Le fléau multiforme des démons trompeurs, chassé du possédé, s'empare des corps ignobles et malpropres d'un troupeau de porcs, et va se noyer dans les eaux sombres, avec les animaux qu'il a rendus fous.

Emportez dans douze[1] corbeilles les débris de ce repas ; des milliers de convives ont été pleinement
60 rassasiés d'avoir mangé cinq pains et deux poissons.

Tu es notre nourriture et notre pain, tu es l'éternelle suavité ; celui qui goûte à ton banquet désapprend à jamais la faim, il n'emplit plus les profondeurs de son ventre, mais il entretient sa vie.

Le conduit des oreilles, fermé et incapable d'en-
65 tendre, se débarrasse à l'ordre du Christ de tous les obstacles gênants : le voici susceptible de jouir des paroles, et de laisser passer les murmures.

Toutes les maladies s'en vont, toutes les fatigues sont chassées ; la langue qu'enchaînait l'engourdissement du silence se met à parler, et le paralytique joyeux emporte son lit à travers la ville.

70 Bien plus, pour que les enfers eux-mêmes reçoivent leur part du salut, il pousse la bonté jusqu'à entrer dans le Tartare ; la porte fracturée cède, les verrous sont arrachés, le gond tombe, brisé.

Cette porte, d'ordinaire, laisse passer facilement ceux qui entrent, et retient ceux qui veulent retourner sur leurs pas ; mais cette fois sa barrière est violemment projetée au dehors, par un retournement de
75 la loi elle rend les morts qu'elle avait reçus ; et maintenant le seuil affreux reste ouvert, pour qu'on le foule au retour.

Mais pendant que Dieu illuminait d'une lueur fauve les antres de la mort, pendant qu'il portait un jour éclatant parmi les ténèbres étonnées, les astres du firmament obscurci pâlirent tristement.

1. Littéralement : « trois fois quatre. » Cf. la note sur les vers 7, 38-39.

Pulsa pestis lubricorum milliformis daemonum 55
corripit gregis suilli sordida spurcamina,
seque nigris mergit undis et pecus lymphaticum.

Ferte qualis ter quaternis ferculorum fragmina!
Adfatim referta iam sunt adcubantum milia
quinque panibus peresis et gemellis piscibus. 60

Tu cibus panisque noster, tu perennis suauitas;
nescit esurire in aeuum, qui tuam sumit dapem,
nec lacunam uentris inplet, sed fouet uitalia.

Clausus aurium meatus et sonorum nescius
purgat ad praecepta Christi crassa quaeque obstacula,
uocibus capax fruendis et susurris peruius. 65

Omnis aegritudo cedit, languor omnis pellitur;
lingua fatur, quam ueterna uinxerant silentia,
gestat et suum per urbem laetus aeger lectulum.

Quin et ipsum, ne salutis inferi expertes forent, 70
tartarum benignus intrat; fracta cedit ianua,
uectibus cadit reuulsis cardo dissolubilis.

Illa prompta ad inruentes, ad reuertentes tenax,
obice extrorsum reculso, porta reddit mortuos,
lege uersa et limen atrum iam recalcandum patet. 75

Sed Deus dum luce fulua mortis antra inluminat,
dum stupentibus tenebris candidum praestat diem,
tristia squalentis aetrae palluerunt sidera.

58 Matth. 14, 17-20 || 62 Ioh. 6, 51 || 64 Marc. 7, 35 || 67 Luc. 6, 19 || 68 Marc. 7, 35 || 69 Matth. 9, 6-7; Ioh. 5, 9 70 I Petr. 4, 6 || 76 Matth. 27, 45

66 et *ACD* : ac *Arevalo cum cett.*) || 74 reculso *Bergman cum B a. c.* : repulso *D, C a. c. P* (*mg.* recluso) reuulso *A* reclusa (*mg.* al. repulso) *V* recluso *Arevalo cum NEMOSU, CB p. c.*

Le soleil s'enfuit; tout sali d'une rouille sinistre, il
80 abandonna le ciel brillant, et se cacha plein de tristesse; et le monde effrayé craignit, dit-on, le chaos d'une nuit éternelle.

O mon âme, délie ma voix harmonieuse, délie ma langue mobile. Dis le trophée de la Passion, dis le triomphe de la Croix, chante cet étendard dont le signe brille sur les fronts qui en furent marqués.

85 O miracle inouï de la blessure, dans cette mort extraordinaire ! D'un côté coula un flot de sang, de l'autre coula de l'eau : l'eau donne en effet le baptême, et la couronne du martyre est acquise au prix du sang.

Le Serpent[1] vit immolée cette victime au corps sacré ; il la vit, et aussitôt perdit son venin, arme de
90 sa colère ardente ; une profonde douleur l'accabla, et son cou sifflant se brisa.

A quoi t'a servi, serpent sacrilège, d'avoir, au commencement du monde, causé la perte de la première créature par ta ruse aux formes changeantes? Le corps humain a effacé sa faute en devenant l'hôte de Dieu[2].

Le Maître du salut se livra pour un peu de temps à la mort, afin d'apprendre aux morts jadis ensevelis à
95 revenir à la lumière, une fois brisées les chaînes des anciens péchés.

Le troisième jour, les patriarches et de nombreux saints suivirent le Créateur, qui repartait en leur montrant le chemin ; ils reprennent leur vêtement de chair et sortent des tombeaux.

100 On aurait pu voir les membres surgir des cendres desséchées et se rassembler; la poussière froide se réchauffer en reprenant des veines ; les os, les muscles, les moelles se recouvrir de la peau qui les tenait unis.

1. Le Diable. Cf. 3, 181, etc.
2. C'est-à-dire : grâce à l'incarnation du Verbe.

Sol refugit et, lugubri sordidus ferrugine,
igneum reliquit axem, seque maerens abdidit; 80
fertur horruisse mundus noctis aeternae chaos.

Solue uocem, mens, sonoram, solue linguam mobilem ;
dic tropaeum passionis, dic triumphalem crucem ;
pange uexillum, notatis quod refulget frontibus !

O nouum caede stupenda uulneris miraculum ! 85
Hinc cruoris fluxit unda, lympha parte ex altera;
lympha nempe dat lauacrum, tum corona ex sanguine est.

Vidit anguis immolatam corporis sacri hostiam ;
uidit, et fellis perusti mox uenenum perdidit,
saucius dolore multo, colla fractus sibila. 90

Quid tibi, profane serpens, profuit rebus nouis
plasma primum perculisse uersipelli astutia ?
Diluit culpam recepto forma mortalis Deo.

Ad breuem se mortis usum dux salutis dedidit,
mortuos olim sepultos ut redire insuesceret, 95
dissolutis pristinorum uinculis peccaminum.

Tunc patres sanctique multi, conditorem praeuium
iam reuertentem secuti tertio demum die,
carnis indumenta sumunt eque bustis prodeunt.

Cerneres coire membra de fauillis aridis, 100
frigidum uenis resumptis puluerem tepescere,
ossa, neruos et medullas glutino cutis tegi.

86 Ioh. 19, 34 || 97 Matth. 27, 53
79 Vg. G. 1, 467 || 90 Vg. G. 3, 421 ; A. 5, 277
82 sonoram *Arevalo cum C, V a. r.* : sonora *Bergman cum cett.* || 90 sibilat *CDVNPEOU* || 92 astutia : hortamine B, VE (*mg.* al. astutia) *NMOSU, Ps.*; *cf. Meyer, Prudentiana, in Philologus 87 (1932) p. 340* || 94 *ab hoc uersu deficit B* || 97 sanctique... praeuium *E mg.* sancti quem ultima uirorum condidit *E in textu, P mg.* || 102 et : ac *Arèvalo cum MOSU*

Puis, après avoir vaincu la mort et rendu l'homme à la vie, il monta triomphalement vers le tribunal élevé de son sublime Père, rapportant au ciel la
105 gloire éclatante de sa Passion.

Honneur à toi, Juge des morts, honneur à toi, Roi des vivants, toi qui, illustre par tes vertus, sièges là-haut à la droite du Père, d'où tu viendras un jour pour punir avec justice tous les crimes !

Que les vieillards et la jeunesse, que le chœur des
110 petits enfants, que la foule des mères et des vierges, et les fillettes au cœur naïf, fassent retentir ta louange de leurs voix concordantes, en de chastes concerts !

Que les cascades et les eaux des fleuves, que les plages de la mer, que la pluie, la chaleur, la neige, le givre, la forêt et le vent, et la nuit et le jour, te célèbrent à jamais dans les siècles des siècles !

Post, ut occasum resoluit, uitae et hominem reddidit,
arduum tribunal alti uictor ascendit Patris,
inclytam caelo reportans Passionis gloriam. 105

Macte Iudex mortuorum, macte Rex uiuentium,
dexter in Parentis arce qui cluis uirtutibus,
omnium uenturus inde iustus ultor criminum!

Te senes et te iuuentus, paruulorum te chorus,
turba matrum uirginumque, simplices puellulae 110
uoce concordes pudicis perstrepant concentibus!

Fluminum lapsus et undae, litorum crepidines,
imber, aestus, nix, pruina, silua et aura, nox, dies
omnibus te concelebrent saeculorum saeculis!

104-107 Marc. 16, 19 || 108 II Cor. 5, 10 || 109 Ps. 148, 12 || 113 Ps. 148, 8

111 perstrepunt *MS* prestrepant *E* perstrepent *O a. c.*

X

HYMNE POUR LES FUNÉRAILLES D'UN DÉFUNT

La mort sépare l'âme du corps. Mais l'âme peut, en pratiquant la vertu, assurer la résurrection glorieuse du corps. C'est dans son attente que les chrétiens honorent les cadavres. Ensevelir les morts est un devoir de piété. Histoire du père de Tobie. Foi du poète en la résurrection. Prière pour l'âme du défunt. — Dimètres anapestiques catalectiques.

Dieu, source de feu de nos âmes,
Associant deux éléments,
Tu as créé, ô Père, l'homme
A la fois vivant et mortel ;

5 Maître, à toi sont nos deux substances[1] ;
C'est pour toi qu'elles sont unies ;
C'est toi qu'assemblés par la vie
Servent et l'esprit et la chair.

Mais quand le trépas les sépare,
10 Rappelés à leurs origines,
L'âme de feu gagne le ciel,
La terre aride prend le corps.

Ainsi, tout ce qui fut créé
Doit pour finir souffrir la mort,
15 Afin que leur source résorbe
Les principes dissociés.

1. L'âme et le corps.

X

HYMNVS CIRCA EXSEQVIAS DEFVNCTI

Deus, ignee fons animarum,
duo qui socians elementa,
uiuum simul ac moribundum,
hominem, Pater, effigiasti,

tua sunt, tua, rector, utraque, 5
tibi copula iungitur horum,
tibi, dum uegetata cohaerent,
et spiritus et caro seruit.

Resoluta sed ista seorsum
proprios reuocantur in ortus : 10
petit halitus aëra feruens,
humus excipit arida corpus.

hymnus (ymnus *CD*) circa exequias (exsequias *A*) defuncti *A C D V P E* himnus*excquias defuncti (ad *s. ras.*) *N* ymnus circa exequias defunctorum *MU* incipit ymnus (hymnus *O*) circa exsequias defunctorum *OS*. *Hymnus deficit in B.*

9-16 *ita ut edimus Bergman cum A P* : rescissa sed ista seorsum — soluunt hominem perimuntque — humus excipit arida corpus — animae rapit aura liquorem (liquorum *E*) — quia cuncta creata necesse est — labefacta senescere tandem — conpactaque dissociari — et dissona texta retexi *Arevalo cum VN*, *E* (*cum altera uersuum 9-12 lectione in mg. adscr.*) ; *utramque lectionem* (resoluta... resorbens *tum* : rescissa... retexi) *habent MOSU et* (resoluta... necesse est, *tum* : labefacta... retexi, *tum* obitum... resorbens) *CD* (*omissa stropha* : rescissa... liquorem *in textu, sed addita in mg*) || 11 aera : aera *in ras.* (*s.* ethera) *C* aethera *MOSU*

Prêt à l'abolir, cette mort,
Dieu très bon, pour tes serviteurs,
Tu montres la voie infaillible
20 Qui fait revivre un corps défunt :

Tant qu'une enveloppe mortelle
Tient comme en prison l'âme noble,
Qu'en nous domine l'élément
Qui du ciel tira sa naissance !

25 Si notre volonté terrestre[1]
Montre goûts fangeux, désirs lourds,
L'âme aussi, vaincue par le poids,
Suit la chair en bas, dans l'abîme.

Mais si, pensant au feu, sa source[2],
Elle fuit la contagion[3],
Elle entraîne le corps son hôte,
30 Et rejoint avec lui les astres.

Car ce cadavre que l'on voit
Dormir vide, sans son esprit,
35 Dans peu de temps retrouvera
Pour compagne l'âme sublime.

Un prochain siècle, la chaleur
Reviendra dans ces ossements,
Et, les animant d'un sang vif,
40 S'y logera comme autrefois.

1. C'est-à-dire probablement : « la volonté de notre corps » ; on pourrait comprendre aussi : « notre volonté pendant que nous sommes sur terre. » Pour ce sens de *terreus*, cf. par ex. A 505, Ps 771.

2. Cf. vers 1.

3. La contagion des goûts grossiers du corps.

Sic cuncta creata necesse est
obitum tolerare supremum,
ut semina dissociata 15
sibi sumat origo resorbens.

Hanc tu, Deus optime, mortem
famulis abolere paratus,
iter inuiolabile monstras
quo perdita membra resurgant, 20

ut, dum generosa caducis
ceu carcere clausa ligantur,
pars illa potentior extet,
quae germen ab aethere traxit.

Si terrea forte uoluntas 25
luteum sapit et graue captat,
animus quoque pondere uictus
sequitur sua membra deorsum ;

at si generis memor ignis
contagia pigra recuset, 30
uehit hospita uiscera secum,
pariterque reportat ad astra.

Nam quod requiescere corpus
uacuum sine mente uidemus,
spatium breue restat, ut alti 35
repetat collegia sensus.

Venient cito saecula cum iam
socius calor ossa reuisat,
animataque sanguine uiuo
habitacula pristina gestet. 40

38 Vg. A. 9, 474
13 sic : quia *P*

Lors les cadavres engourdis
Qui pourrissaient dans les tombeaux,
Emportés dans les airs rapides,
Suivront leurs âmes de jadis.

45 De là le grand soin apporté
Aux tombeaux, les honneurs suprêmes
Donnés aux corps privés de vie,
Et la pompe des funérailles.

La coutume veut qu'on recouvre
50 D'un linge éclatant de blancheur
Le corps tout aspergé de myrrhe,
Conservé par ce baume arabe.

Que signifient ces rocs creusés,
Et ces monuments magnifiques,
55 Sinon que ce qu'on leur confie
Est, non pas mort, mais endormi ?

Ce zèle pieux, prévoyant
Des chrétiens vient de leur croyance
Que vivront bientôt tous ces êtres
60 Qu'aujourd'hui glace un lourd sommeil.

Couvrir de terre, avec pitié,
Des cadavres abandonnés,
C'est faire une œuvre charitable
Agréable au Christ tout puissant.

65 La même loi nous le rappelle :
Tous, même sort nous fait gémir;
Nous pleurons, dans la mort d'autrui,
Une fin semblable à la nôtre.

Quae pigra cadauera pridem
tumulis putrefacta iacebant,
uolucres rapientur in auras,
animas comitata priores.

Hinc maxima cura sepulcris 45
inpenditur, hinc resolutos
honor ultimus accipit artus,
et funeris ambitus ornat;

candore nitentia claro
praetendere lintea mos est, 50
aspersaque myrra Sabaeo
corpus medicamine seruat.

Quidnam sibi saxa cauata,
quid pulchra uolunt monumenta,
nisi quod res creditur illis 55
non mortua, sed data somno?

Hoc prouida christicolarum
pietas studet, utpote credens
fore protinus omnia uiua,
quae nunc gelidus sopor urget. 60

Qui iacta cadauera passim
miserans tegit aggere terrae,
opus exhibet ille benignum
Christo pius omnipotenti;

quia lex eadem monet omnes 65
gemitum dare sorte sub una,
cognataque funera nobis
aliena in morte dolere.

67 Lucan. 6, 564

L'illustre père de Tobie,
70 Ce héros vénérable et saint,
Préféra, au repas tout prêt,
Le devoir de la sépulture.

Devant ses serviteurs debout
Il laisse là coupes et plats [1],
75 Zélé pour enterrer les morts,
Porte, en pleurs, les os au sépulcre.

Bientôt le ciel le récompense
Par une faveur d'un grand prix :
Car Dieu guérit avec du fiel
80 Ses yeux ignorants du soleil [2].

Le Père du monde ici montre
Combien l'esprit des insensés
Trouve âcre et amer le remède
Quand un jour nouveau l'éblouit [3].

85 Il nous montre aussi que personne
Ne voit le céleste royaume,
S'il n'a souffert les maux du monde,
Tristement blessé dans la nuit.

90 La mort même en [4] est plus heureuse,
Car la souffrance du trépas
Ouvre aux justes la voie du ciel,
Et la douleur conduit aux astres.

1. A la nouvelle qu'on venait de trouver dans la rue le cadavre d'un Juif assassiné.

2. C'est seulement après avoir donné la sépulture à beaucoup de Juifs (lors d'une persécution en Assyrie, où ils étaient captifs), que le père de Tobie avait perdu la vue. Il n'était pas aveugle de naissance, comme la concision de ce récit pourrait le faire croire.

3. Cette strophe est un exemple caractéristique des explications allégoriques qu'aime à donner Prudence, comme la plupart des auteurs ecclésiastiques de son temps, des récits bibliques. Le père de Tobie a été guéri de sa cécité par du fiel ; de même on ne peut guérir les ignorants de leur aveuglement intellectuel et les conduire à la lumière de l'évangile qu'en leur enseignant des dogmes et des préceptes de morale qui leur semblent difficiles à comprendre et pénibles à appliquer.

4. Quand on a souffert, comme le disent les deux vers précédents.

Sancti sator ille Tobiae,
sacer ac uenerabilis heros, 70
dapibus iam rite paratis
ius praetulit exequiarum :

iam stantibus ille ministris
cyathos et fercula liquit,
studioque accinctus humandi, 75
fleto dedit ossa sepulcro.

Veniunt mox praemia caelo,
pretiumque rependitur ingens ;
nam lumina nescia solis
Deus inlita felle serenat. 80

Iam tunc docuit Pater orbis,
quam sit rationis egenis
mordax et amara medella,
cum lux animum noua uexat ;

docuit quoque non prius ullum 85
caelestia cernere regna,
quam nocte et uulnere tristi
tolerauerit aspera mundi

Mors ipsa beatior inde est,
quod per cruciamina leti 90
uia panditur ardua iustis,
et ad astra doloribus itur.

69 Tob. 2, 3-4 || 77 Tob. 11, 13-15 || 85 Tob. 12, 13
92 Vg. A 9, 640

Le corps terrassé par la mort
Renaît pour des années meilleures.
La chair qui, morte, reprend vie,
95 Ne connaît plus l'épuisement.

Ce visage où règne un teint blême
(Pâleur de la corruption),
Un sang plus beau qu'aucune fleur
100 Colorera sa peau charmante.

Aucune vieillesse jalouse
Ne dégarnira plus son front [1] ;
La maigreur n'amincira plus
Ses bras, séchant, rongeant leur sève.

105 La Maladie [2], ce fléau qui
Ravage les corps haletants,
Alors subira ses tourments,
En sueur et dans mille chaînes.

Et notre chair, du haut du ciel,
110 Immortelle et victorieuse,
La verra regretter sans fin
Les douleurs qu'elle avait créées.

Pourquoi ces pleurs, ces cris stupides
De la foule des survivants,
115 Cette douleur folle, accusant
Des lois aussi bien établies?

Que ces tristes plaintes s'apaisent.
Suspendez vos larmes, ô mères!
Que nul ne pleure ses enfants :
120 La mort renouvelle la vie.

1. La périphrase *decus frontis,* comme *capitis honorem* C. 8. 23, « l'ornement du front » ou « de la tête », désigne la chevelure.
2. La maladie est assimilée par le poète à un démon.

Sic corpora mortificata
redeunt melioribus annis,
nec post obitum recalescens 95
conpago fatiscere nouit.

Haec quae modo pallida tabo
color albidus inficit ora,
tunc, flore uenustior omni,
sanguis cute tinguet amoena. 100

Iam nulla deinde senectus
frontis decus inuida carpet,
macies neque sicca lacertos
suco tenuabit adeso.

Morbus quoque pestifer, artus 105
qui nunc populatur anhelos,
sua tunc tormenta resudans
luet inter uincula mille.

Hunc eminus aëre ab alto
uictrix caro iamque perennis 110
cernet sine fine gementem
quos mouerat ipse dolores.

Quid turba superstes inepta
clangens ululamina miscet?
Cur tam bene condita iura 115
luctu dolor arguit amens ?

Iam maesta quiesce querella;
lacrimas suspendite, matres!
Nullus sua pignera plangat :
mors haec reparatio uitae est. 120

97 Vg. A. 8, 197 || 98 Hor. Epod. 7, 15

Ainsi verdit la graine sèche,
Déjà morte et ensevelie,
Qui, rendue par le sol profond,
Prépare les épis d'antan [1].

125 Donne asile, ô terre, à cet être ;
Reçois-le dans ton tendre sein.
Je te remets des membres d'homme,
Te confie de nobles débris.

C'était la demeure d'une âme
130 Dont le Père est l'illustre source [2] ;
En eux une sagesse ardente
Habitait, servante du Christ.

Couvre ce corps : c'est un dépôt ;
Loin d'oublier, le Créateur
Te réclamera son ouvrage,
135 Image de ses propres traits.

Que viennent les temps de justice
Où Dieu remplira nos espoirs :
Tu t'ouvriras, forcée de rendre
140 L'homme tel que tu le reçois.

Non ! Que le temps, qui pourrit tout,
Ait réduit ces os en poussière,
Qu'ils ne soient plus qu'un peu de cendre
Sèche, une minime poignée ;

Non ! que brise errante, que vents
145 Qui soufflent à travers le vide
Emportent cette chair en poudre :
L'homme ne pourra pas périr.

1. Cet exemple de la graine, qui renaît à la vie après une mort temporaire, est souvent cité par les apologistes comme une preuve de la possibilité de la résurrection des morts.

2. Beaucoup de manuscrits portent pour ce vers 130 le texte : « créée par le souffle du Créateur ». L'idée est la même.

Sic semina sicca uirescunt
iam mortua iamque sepulta,
quae reddita caespite ab imo
ueteres meditantur aristas.

Nunc suscipe, terra, fouendum, 125
gremioque hunc concipe molli!
Hominis tibi membra sequestro,
generosa et fragmina credo.

Animae fuit haec domus olim,
cui nobilis ex Patre fons est, 130
feruens habitauit in istis
sapientia principe Christo.

Tu depositum tege corpus;
non inmemor ille requiret
sua munera fictor et auctor, 135
propriique enigmata uultus.

Veniant modo tempora iusta,
cum spem Deus inpleat omnem,
reddas patefacta necesse est,
qualem tibi trado figuram. 140

Non, si cariosa uetustas
dissoluerit ossa fauillis,
fuéritque cinisculus arens
minimi mensura pugilli,

nec, si uaga flamina et aurae, 145
uacuum per inane uolantes,
tulerint cum puluere neruos,
hominem periisse licebit.

121 Ioh. 12, 24

130 cui nobilis ex patre fons est *Bergman cum ACDP* : factoris ab ore creatae *Arevalo cum VNEMOSU, CDP mg.* (*VNE mg.* : ał [libri habent *add. E*] cui [qui *V*] nobilis ex patre fons est)

Mais avant, Dieu, que tu rappelles
150 Et reformes ce corps fragile,
En quel endroit donc voudras-tu
Que son âme pure repose ?

Dans le sein du grand Patriarche[1],
Elle dormira, tel Lazare,
Que le riche[2], qui brûle, voit
155 Au loin, tout entouré de fleurs.

Nous suivons, Rédempteur, tes ordres,
Quand, triomphant de la mort sombre,
Au larron, compagnon de croix,
160 Tu dis de marcher sur tes traces.

Voici ouvert à tes fidèles
Le clair chemin du paradis.
On peut entrer dans ces bosquets
Que le Serpent fit perdre à l'homme.

165 Là, je t'en prie, excellent guide,
Prescris que l'âme, ta servante,
Te soit vouée, dans sa patrie,
Quittée pour un exil errant.

Nous, offrant aux os enterrés
170 Force feuillage et violettes,
Nous arroserons de parfums
Les froides pierres du tombeau.

1. Abraham.
2. Le mauvais riche qui avait refusé à Lazare les miettes de sa table.

Sed dum resolubile corpus
reuocas, Deus, atque reformas, 150
quanam regione iubebis
animam requiescere puram?

Gremio senis addita sancti
recubabit, ut est Eleazar,
quem floribus undique saeptum 155
diues procul aspicit ardens.

Sequimur tua dicta, Redemptor,
quibus atra e morte triumphans
tua per uestigia mandas
socium crucis ire latronem. 160

Patet ecce fidelibus ampli
uia lucida iam paradisi,
licet et nemus illud adire,
homini quod ademerat anguis.

Illic, precor, optime Ductor, 165
famulam tibi praecipe mentem
genitali in sede sacrari,
quam liquerat exul et errans.

Nos tecta fouebimus ossa
uiolis et fronde frequenti, 170
titulumque et frigida saxa
liquido spargemus odore.

153 Luc. 16, 22 || 159 Luc. 23, 43 || 164 Gen. cap. 3
172 Hor. C. 1, 5, 2

153 abdita *DO. C p. c.* || 154 est Eleazar : illa lazari *A p. c.* || 158 triumfans *Bergman cum VN* triumfas *A*

Finit liber ymnorum *S* (*cf. supra p. XXVIII sqq.*)

XI

HYMNE DU JOUR DE NOEL

L'anniversaire du Christ, qui coïncide avec le solstice, apporte la joie à l'univers. Le Verbe, après avoir créé le monde, a tenu à sauver, en s'incarnant, l'homme qui se perdait dans le péché. Bonheur de la nature à la naissance de Jésus. Seuls, les Juifs n'ont pas voulu reconnaître le Messie. Ils en seront punis au Jugement dernier. — Dimètres ïambiques.

Pourquoi, quittant ton cercle étroit,
Reviens-tu, soleil, sur tes pas ?
Le Christ est-il né sur la terre,
Allongeant le sentier du jour?[1]

5 Las ! Que bref était le bienfait
Que déroulait le jour hâtif!
De plus en plus court, son flambeau
Etait presque éteint, disparu !

Que le ciel brille plus joyeux,
10 Et que la terre heureuse exulte :
Car l'astre par degrés remonte
Sur ses chemins antérieurs.

1. L'anniversaire de la naissance du Christ (Noël) annonce que la durée des jours va s'allonger.

XI

HYMNVS VIII KAL. IANVARIAS

Quid est, quod artum circulum
sol iam recurrens deserit?
Christusne terris nascitur,
qui lucis auget tramitem?

Heu, quam fugacem gratiam 5
festina uoluebat dies;
quam paene subductam facem
sensim recisa exstinxerat!

Caelum nitescat laetius,
gratetur et gaudens humus: 10
scandit gradatim denuo
iubar priores lineas.

2 Vg. A. 7, 100

hymnus (ymnus *C* incipit ymnus *S U*) VIII kal. ianuarias *A C V N S U* ymnus VIII kl ianuarii *D* hymnus natalis domini *P E* hymnus in natale domini *M O* (ymnus *M*). *Hymnus deficit in B.*

Apparais, ô doux nouveau-né,
Enfanté par la Chasteté [1] !
15 Ta mère n'a pas eu d'époux,
Médiateur, double nature !

Tu naquis du souffle du Père,
Et tu fus produit par son Verbe.
Mais avant, dans le cœur du Père,
20 Tu vivais en tant que Sagesse,

Sagesse active, qui créa
Le ciel, le jour et tout le reste ;
Tout cela fut l'œuvre du Verbe,
Le Verbe, en effet, était Dieu.

25 Une fois les siècles réglés,
Et l'univers organisé,
Le créateur, l'auteur du monde
Demeura dans le sein du Père,

Jusqu'au moment où il daigna,
30 Après des milliers d'années,
Visiter lui-même la terre,
Qui s'obstinait dans le péché.

Car l'aveuglement des mortels
Vénérait de vaines sornettes,
35 Croyant que le bronze, ou le bois,
Ou la froide pierre, était Dieu.

En suivant ces cultes coupables,
Devenus la proie du Brigand [2],
Ils avaient plongé l'âme esclave
40 Dans les enfers pleins de fumée.

1. Par une femme (la Vierge) qui est la personnification de la Chasteté.
2. Le Diable.

Emerge, dulcis pusio,
quem mater edit castitas,
parens et expers coniugis, 15
mediator et duplex genus!

Ex ore quamlibet Patris
sis ortus et Verbo editus,
tamen paterno in pectore
Sophia callebas prius, 20

quae prompta caelum condidit,
caelum diemque et cetera:
uirtute Verbi effecta sunt
haec cuncta; nam Verbum Deus.

Sed ordinatis saeculis 25
rerumque digesto statu,
fundator ipse et artifex
permansit in Patris sinu,

donec rotata annalium
transuoluerentur milia, 30
atque ipse peccantem diu
dignatus orbem uiseret.

Nam caeca uis mortalium,
uenerans inanes nenias,
uel aera uel saxa algida 35
uel ligna credebat Deum.

Haec dum sequuntur perfidi,
praedonis in ius uenerant,
et mancipatam fumido
uitam baratro inmerserant. 40

17 Prou. 8, 22; Ioh. 1, 1-2 || 21 Prou. 8, 27-30; Ioh. 1-3 || 24 Ioh. 1, 1 || 30 Act. 17, 29

14 matris *SU* || 20 sophia *P M*: sofia *Bergman cum cett.*

Mais le Christ ne toléra pas
Ce carnage où sombraient les peuples.
Pour que l'ouvrage de son Père
N'allât pas périr sans vengeance,

45 Il revêtit un corps mortel
Pour, en ressuscitant ce corps,
Briser les chaînes de la mort,
Et porter l'homme jusqu'au Père.

C'est l'anniversaire du jour
50 Où le haut Créateur, d'un souffle,
T'introduisit dans notre argile,
Unissant le Verbe à la chair.

Dans la fatigue de ton terme,
Sens-tu, noble Vierge, que croît
55 L'éclat de ta pudeur intacte
De l'honneur d'avoir enfanté ?

Quelles grandes joies pour le monde
Renferme ton pudique sein,
D'où naît un siècle tout nouveau,
60 La lumière d'un âge d'or !

Ce vagissement a marqué
Le début du printemps du monde.
L'univers renaquit alors,
Quittant sa léthargie malpropre.

65 La terre, sans doute, émailla
La campagne de force fleurs,
Et le sable même des Syrtes
Sentit le nard et le nectar.

Stragem sed istam non tulit
Christus cadentum gentium ;
inpune ne forsan sui
Patris periret fabrica,

mortale corpus induit, 45
ut excitato corpore
mortis catenam frangeret,
hominemque portaret Patri.

Hic ille natalis dies,
quo te Creator arduus 50
spirauit et limo indidit,
Sermone carnem glutinans.

Sentisne, uirgo nobilis,
matura per fastidia
pudoris intactum decus 55
honore partus crescere ?

O quanta rerum gaudia
aluus pudica continet,
ex qua nouellum saeculum
procedit et lux aurea ! 60

Vagitus ille exordium
uernantis orbis prodidit ;
nam tunc renatus sordidum
mundus ueternum depulit.

Sparsisse tellurem reor 65
rus omne densis floribus,
ipsasque harenas Syrtium
fraglasse nardo et nectare.

45 Phil. 2, 7
68 fraglasse *VOU* : flagrasse *cet.* fragrasse *Arevalo*

Les choses rudes et sauvages
70 Sentirent ta naissance, Enfant !
Vaincue, la dureté des pierres
Recouvrit d'herbe les rochers.

Des rocs coule le miel fluide ;
Le chêne, de son tronc aride,
75 Distille les pleurs de l'amome ;
Le tamaris donne du baume.

Roi éternel, comme il est saint
Ton berceau, fait de cette crèche,
A jamais sacré pour les peuples,
80 Les animaux mêmes y croient[1].

Oui, des bêtes brutes l'adorent,
Foule ignorante cependant !
La race grossière l'adore,
Dont les pâtures font la force[2].

85 Mais tandis que, remplis de foi,
Les païens et les animaux
Accourent en foule à la crèche,
Que des brutes deviennent sages,

La race issue des patriarches
90 Renie, haineuse, Dieu présent.
On la croirait ivre d'un philtre,
Ou proie d'un furieux délire.

1. Allusion au bœuf et à l'âne que la tradition place dans l'étable de la nativité.

2. Ces deux vers désignent sans doute encore les animaux, déjà nommés au vers 81 ; ces redoublements sont assez dans la manière de Prudence (cf. notre *Étude*, § 1670). Toutefois on pourrait aussi les interpréter par : « les bergers qui vinrent adorer l'enfant Jésus » ; c'est cette idée qui serait reprise par *pagana gens* au vers 87. Mais le sens de *pagana* fait alors difficulté, puisque ces bergers étaient juifs. Faut-il donner à cet adjectif son sens primitif (encore usité à l'époque de Prudence) de *villageois* ? Alors l'antithèse avec les juifs (*patrum prosapia*, vers 89) disparaîtrait. De toute façon l'expression est obscure. Cf. *supra*, p. XIII-XIV.

Te cuncta nascentem, Puer,
sensere dura et barbara, 70
uictusque saxorum rigor
obduxit herbam cotibus.

Iam mella de scopulis fluunt,
iam stillat ilex arido
sudans amomum stipite, 75
iam sunt myricis balsama.

O sancta praesepis tui,
aeterne Rex, cunabula,
populisque per saeclum sacra,
mutis et ipsis credita ! 80

Adorat haec brutum pecus,
indocta turba scilicet,
adorat excors natio,
uis cuius in pastu sita est.

Sed cum fideli spiritu 85
concurrat ad praesepia
pagana gens et quadrupes,
sapiatque quod brutum fuit,

negat patrum prosapia
perosa praesentem Deum ; 90
credas uenenis ebriam
furiisue lymphatam rapi.

73 Ioel. 3, 18

92 lymphatam *V M O* : lymfatam *Bergman cum cett.* (lymfatum *E*).

Pourquoi te précipites-tu,
La tête baissée, dans le crime?
95 Si le moindre bon sens te reste,
Reconnais le chef de tes princes.

Ce roi qu'aux peuples ont donné
Une cachette, une accoucheuse [1],
Une vierge mère, un berceau,
100 Une enfance toute en faiblesse,

Pécheur, tu le contempleras
Là-haut, sur des nuées de feu;
Toi-même, abattu, sur tes fautes
Verseras des pleurs inutiles,

105 Quand la trompette formidable
Sonnera l'incendie du globe,
Que le ciel, fendu, brisera
Le pivot du monde croulant.

Lui-même, en sa gloire éclatante,
110 Paiera chacun avec justice :
Aux uns la lumière éternelle,
Aux autres l'enfer, la géhenne.

Vaincu par sa croix fulgurante,
Tu verras, Juif, quel est celui
Que, ta fureur guidant la sienne,
115 La Mort prit, mais bientôt rendit.

1. La présence d'une sage-femme n'est mentionnée que dans certains évangiles apocryphes.

Quid prona per scelus ruis?
Agnosce, si quidquam tibi
mentis resedit integrae, 95
ducem tuorum principum!

Hunc, quem latebra et obstetrix
et uirgo feta et cunulae
et inbecilla infantia
regem dederunt gentibus, 100

peccator intueberis
celsum coruscis nubibus,
deiectus ipse et inritis
plangens reatum fletibus,

cum uasta signum bucina 105
terris cremandis miserit,
et scissus axis cardinem
mundi ruentis soluerit.

Insignis ipse et praeminens
meritis rependet congrua, 110
his lucis usum perpetis,
illis gehennam et tartarum.

Iudaea, tunc fulmen crucis
experta, qui sit senties
quem, te furoris praesule, 115
mors hausit et mox reddidit.

101 Matth. 24, 30; Apoc. 1, 7 || 105 Matth. 24, 31 || 109 Matth. 16, 27 || 111 Matth. 25, 46 || 114 Ioh. 19, 37

97 latebrae *VMSU* || obstetrix *Arevalo cum OU*, *VP p. c. m*[2], *C mg.* : obstitrix *CD*, *S p. c.* obsetrix *Bergman cum A N E M* || *a u. 101 deficit U.*

XII

HYMNE DE L'ÉPIPHANIE

L'étoile miraculeuse a guidé les Mages vers Jésus. Symbolisme de leurs présents. Gloire de Bethléem. Massacre des Innocents. Jésus y échappe, comme Moïse avait échappé au Pharaon. Le Christ, préfiguré dans l'histoire par les principaux chefs des Juifs, est le roi à la fois de la Judée et de toute la terre. — Dimètres ïambiques [1].

O vous tous qui cherchez le Christ,
Elevez vos yeux vers le ciel !
Vous y pourrez voir luire un signe
De sa gloire à jamais durable.

5 Cette étoile, éclatante et belle
Plus que le disque du soleil,
Annonce qu'est venu sur terre
Dieu vêtu d'une chair terrestre.

Des nuits elle n'est pas l'esclave,
10 Ne suit point la lune [2] en ses phases,
Mais, occupant seule le ciel [3],
Elle règle le cours des jours.

1. M. Pierre Fabre m'a apporté pour la traduction de cet hymne un concours particulièrement important, dont je tiens à le remercier ici.

2. *Lunam menstruam*, littéralement : « la lune mensuelle ». A l'époque de Prudence, cette épithète n'était déjà plus qu'approximative ; mais on sait que, dans les premiers calendriers, les mois coïncidaient exactement avec les lunaisons.

3. Hyperbole poétique.

XII

HYMNVS EPIPHANIAE

Quicumque Christum quaeritis,
oculos in altum tollite!
Illic licebit uisere
signum perennis gloriae.

Haec stella, quae solis rotam 5
uincit decore ac lumine,
uenisse terris nuntiat
cum carne terrestri Deum.

Non illa seruit noctibus
secuta lunam menstruam, 10
sed sola caelum possidens
cursum dierum temperat.

10 Vg. G. 1, 353

hymnus (ymnus *DM*) epifaniae (epiphanie *D* epiphaniae M epyphaniae *E* epyfaniae *P*) *A C D P M E* finit ymnus VIII kl̄ ian̄ hoc est natale domini incipit ymnus de epiphania *S* hymnus de epiphan:a *O* hymnus in epiphania *V* hymnus in epyfania nia *N*. *Hymnus deficit in U, in B usque ad u. 112, in M a u. 122 usque ad u. 158.*

Les constellations des Ourses,
Qui tournent autour d'elles-mêmes,
15 Ne se couchent point, et pourtant,
Souvent, les nuages les cachent.

Mais cette étoile est toujours là;
Cet astre jamais ne se couche;
Jamais un nuage qui passe
20 Ne masque d'ombre son flambeau[1].

Eteins-toi, comète sinistre[2] ;
Et vous tous, astres qui brûlez
Des feux de Sirius[3], que Dieu
Vous éclipse de sa lumière.

25 Voici qu'au sein du monde perse,
D'où le soleil fait son entrée[4],
Les mages, experts interprètes,
Ont vu le royal étendard[5].

Dès qu'il brilla, les autres astres
30 Lui cédèrent, et Lucifer[6],
Malgré sa beauté, n'osa pas
Comparer à lui son éclat.

« Quel est donc », se dirent les Mages,
« Ce grand roi qui commande aux astres,
35 Devant qui tremble ainsi le ciel,
Que la lumière et l'éther servent ?

1. Cette strophe assez obscure s'applique peut-être allégoriquement au Christ ; peut-être à l'étoile des mages : en ce cas *aeternum* voudrait simplement dire : « pendant tout le temps du voyage des mages. »

2. L'apparition d'une comète était généralement considérée comme un mauvais présage.

3. Une des étoiles de la Canicule.

4. C'est-à-dire : qui est situé à l'Orient.

5. L'étoile de la Nativité.

6. Vénus, l'étoile du matin.

Arctoa quamuis sidera
in se retortis motibus
obire nolint, adtamen 15
plerumque sub nimbis latent.

Hoc sidus aeternum manet,
haec stella numquam mergitur,
nec nubis occursu abdita
obumbrat obductam facem. 20

Tristis cometa intercidat,
et, si quod astrum Sirio
feruet uapore, iam Dei
sub luce distructum cadat.

En, Persici ex orbis sinu, 25
sol unde sumit ianuam,
cernunt periti interpretes
regale uexillum magi.

Quod ut refulsit, ceteri
cessere signorum globi, 30
nec pulcher est ausus suam
conferre formam Lucifer.

« Quis iste tantus », inquiunt,
« regnator astris imperans,
quem sic tremunt caelestia, 35
cui lux et aetra inseruiunt ?

Inlustre quiddam cernimus,
quod nesciat finem pati,
sublime, celsum, interminum,
antiquius caelo et chao. 40

25 Matth. 2, 2

Nous voyons là quelque merveille
Qui ne saurait avoir de fin,
Haute, sublime, illimitée,
40 Plus vieille que ciel et chaos.

Voilà ce roi des nations,
Ce roi, aussi, du peuple juif,
Promis à l'ancêtre Abraham
Et à sa race, d'âge en âge.

45 Ce premier père des croyants,
Qui immola son fils unique,
Sut que ses descendants seraient
Aussi nombreux que les étoiles.

Voici qu'une fleur de David
50 Naît sur la tige de Jessé.
Verdoyant sur le bois du sceptre,
Elle vient régner sur le monde.

Alors ils suivent, tout émus,
Fixant leurs regards vers le ciel,
55 Le sillon tracé par l'étoile,
La voie claire qu'elle leur marque.

Mais voici que sur un enfant
L'astre s'arrête suspendu;
Il s'abaisse, incline sa torche,
60 Leur révèle la tête sainte.

Les mages, après l'avoir vue,
Sortent leurs présents d'orient,
Et, prosternés pour prier, offrent
L'encens, la myrrhe et l'or royal.

65 Reconnais les nobles insignes
De ton mérite et de ton règne,
Enfant destiné par ton Père
A trois différents caractères.

Hic ille rex est gentium,
populique rex Iudaici,
promissus Abrahae patri
eiusque in aeuum semini.

Aequanda nam stellis sua 45
cognouit olim germina
primus sator credentium,
nati inmolator unici.

Iam flos subit Dauiticus,
radice Iessea editus, 50
sceptrique per uirgam uirens
rerum cacumen occupat ».

Exim sequuntur perciti
fixis in altum uultibus,
qua stella sulcum traxerat 55
claramque signabat uiam.

Sed uerticem pueri supra
signum pependit inminens,
pronaque submissum face
caput sacratum prodidit. 60

Videre quod postquam magi,
Eoa promunt munera,
stratique uotis offerunt
tus, myrram et aurum regium.

Agnosce clara insignia 65
uirtutis ac regni tui,
Puer o cui trinam Pater
praedestinauit indolem :

41 Matth. 2, 2 || 43 Gen. 15, 5 || 47 Rom. 4, 11 || 48 Gen. 22, 2-12 || 50 Is. 11, 1 || 51 Num. 17, 8; Hebr. 9, 4 || 57 Matth. 2, 9 || 61 Matth. 2, 11

55 sqq Vg. A. 2, 693 sqq

50 iessea editus *Bergman cum AN* : iesse editus *Arevalo cum CDVPMES* iesse ęditus *O* || 56 signabat (*cf. Vg. A. 2, 697*) : monstrabat *AP*, *DV mg.*

C'est le roi et le Dieu qu'annoncent
70 Le trésor [1], et l'odeur suave
De l'encens de Saba; la poudre
De myrrhe annonce le tombeau.

Oui, ce tombeau par lequel Dieu,
En permettant que son corps meure,
Puis en l'éveillant du sépulcre,
75 Brisa la prison de la Mort.

Plus grande que les grandes villes,
Tu eus, Bethléem, le bonheur
D'enfanter l'auteur du Salut,
80 Venu du ciel pour s'incarner!

C'est toi qui nourris l'héritier
Unique né du très haut Père,
Fait homme au souffle du Tonnant,
Mais aussi Dieu, dans son corps d'homme

85 Par testament [2] son Père ordonne
(Les prophètes en sont témoins,
Ils ont donné leur signature)
Qu'il aille explorer son royaume;

Ce royaume qui comprend tout,
90 Et l'air et la mer et la terre
De l'orient jusqu'au couchant,
Les enfers, le ciel sur nos têtes.

Le tyran apprend, anxieux,
Qu'est arrivé le roi des rois
95 Qui doit gouverner Israël,
Tenir le sceptre de David.

1. L'or.

2. Le mot « héritier », employé au vers 82, amène par association d'idées le mot « testament », sur lequel joue le poète (allusion à l'Ancien Testament), en comparant les prophètes aux témoins qui, à Rome, contresignaient les testaments.

regem Deumque adnuntiant
thensaurus et fraglans odor 70
turis Sabaei, at myrreus
puluis sepulcrum praedocet.

Hoc est sepulcrum quo Deus,
dum corpus extingui sinit
atque id sepultum suscitat, 75
mortis refregit carcerem.

O sola magnarum urbium
maior Bethlem, cui contigit
ducem salutis caelitus
incorporatum gignere! 80

Altrice te summo Patri
heres creatur unicus,
homo ex Tonantis spiritu,
idemque sub membris Deus.

Hunc et prophetis testibus 85
hisdemque signatoribus
testator et sator iubet
adire regnum et cernere,

regnum, quod ambit omnia,
dia et marina et terrea 90
a solis ortu ad exitum
et tartara et caelum supra.

Audit tyrannus anxius
adesse regum principem,
qui nomen Israel regat 95
teneatque Dauid regiam.

77 Mich. 5, 2; Matth. 2, 6 || 82 Hebr. 1, 2 || 89 Luc. 1, 33 || 93 Matth. 2, 3 || 99 Matth. 2, 16

86 isdemque *MO* || 95 israel *PS* : istrahel *Bergman cum AD*, *C a. c.* isrł *V*, israhel *cett.*, || *a u. 113 denuo incipit B*

Il perd la tête à la nouvelle,
Et crie : « Un successeur nous guette !
On nous chasse ! Aux armes, soldats !
100 Inondez de sang les berceaux !

Que tout nouveau-né mâle meure.
Fouillez le giron des nourrices,
Et que, sur le sein maternel,
L'enfant ensanglante l'épée.

105 Je soupçonne dans Bethléem
Toutes les mères accouchées
De me tromper, de me soustraire
Furtivement leurs jeunes fils. »

Ainsi donc les bourreaux transpercent,
110 Tirant leurs glaives, furieux,
Ces corps venant juste de naître,
Tranchent ces vies toutes nouvelles.

L'assassin, sur ces membres frêles,
A peine à découvrir l'endroit
115 Où faire une large blessure :
Le glaive est plus grand que la gorge.

Oh ! le spectacle abominable !
La tête, brisée sur des pierres,
Répand la cervelle laiteuse,
120 Vomit les yeux par la blessure.

Ou bien l'enfant tout pantelant
Est plongé dans le fond d'un fleuve ;
Là-dessous, dans sa gorge étroite,
L'haleine et l'eau font des hoquets.

125 Salut à vous, fleurs des martyrs,
Qu'au seuil même de votre vie

Exclamat amens nuntio :
« Successor instat, pellimur ;
satelles, i, ferrum rape,
perfunde cunas sanguine ! 100

Mas omnis infans occidat,
scrutare nutricum sinus,
interque materna ubera
ensem cruentet pusio.

Suspecta per Bethlem mihi 105
puerperarum est omnium
fraus, ne qua furtim subtrahat
prolem uirilis indolis. »

Transfigit ergo carnifex
mucrone districto furens 110
effusa nuper corpora
animasque rimatur nouas ;

locum minutis artubus
uix interemptor inuenit
quo plaga descendat patens, 115
iuguloque maior pugio est.

O barbarum spectaculum !
Inlisa ceruix cautibus
spargit cerebrum lacteum,
oculosque per uulnus uomit ; 120

aut in profundum palpitans
mersatur infans gurgitem,
cui subter artis faucibus
singultat unda et halitus.

Saluete, flores martyrum, 125
quos lucis ipso in limine

126 Lucan. 2, 106

115 descendat *Arevalo cum CDBV, N p. c.* : discendat *Bergman cum A* discedat *PEM* descendit *O* descendens (at *s.* ens) *S* || *a u. 122 deficit M usque ad u. 158*

L'ennemi du Christ faucha, comme
L'ouragan les naissantes roses.

Premières victimes du Christ,
130 Qui, tendre troupeau d'immolés,
Jouez, naïfs, devant l'autel,
Avec la palme et les couronnes.

Mais à quoi sert un tel forfait?
Et que gagne Hérode à ce crime?
135 Seul le Christ, parmi tant de meurtres,
Impunément est emporté.

Seul intact dans les flots de sang
Répandus par ceux de son âge,
Au fer qui mit en deuil les femmes
140 Le fruit d'une vierge échappa.

Tel, jadis, à l'absurde édit
Du mauvais Pharaon, Moïse,
Préfigurant le Christ Jésus,
Echappa, sauveur de sa race.

145 L'édit promulgué stipulait
Qu'il était interdit aux mères
Qui mettraient au monde un enfant
De laisser vivre les garçons.

Une sage-femme au cœur droit,
150 Par pitié rebelle au tyran,
Dans l'espoir de le voir puissant,
Vole et sauve le nouveau-né.

Bientôt le Créateur du monde
Se l'adjoignit comme son prêtre,
155 Pour transmettre aux hommes la loi
Gravée sur les tables de pierre.

Christi insecutor sustulit,
ceu turbo nascentes rosas !

Vos, prima Christi uictima,
grex inmolatorum tener, 130
aram ante ipsam simplices
palma et coronis luditis.

Quo proficit tantum nefas,
quid crimen Herodem iuuat ?
Vnus tot inter funera 135
inpune Christus tollitur.

Inter coaeui sanguinis
fluenta solus integer,
ferrum, quod orbabat nurus,
partus fefellit uirginis. 140

Sic stulta Pharaonis mali
edicta quondam fugerat
Christi figuram praeferens
Moses, receptor ciuium.

Cautum et statutum ius erat, 145
quo non liceret matribus,
cum pondus alui absoluerent,
puerile pignus tollere.

Mens obstetricis sedulae,
pie in tyrannum contumax, 150
ad spem potentis gloriae
furata seruat paruulum,

131 Apoc. 6, 9 || 141 Exod. 1, 16-17 ; 2, 2 sq. || 145 Exod. 1, 16 || 149 Exod. 1, 17

130 in (*vel* im) molatorum *CDVNPEOS*, *Arevalo* : inmacul. *AB*, *D mg. Bergman qui pronuntiandum inmaclatorum suspicatur ; sed cf. Meyer, Prudentiana, in Philologus 87 (1932) p. 255.* || 133 quo : quid *PO*, *VE p. c. m*² (*in E ex* qui) *Dmg.* quod *S* || 141 Pharaonis *BO* : Faraonis *Bergman cum cett.* || 149 obsetricis *Bergman cum ABE*

Peut-on reconnaître le Christ
Dans l'exemple d'un si grand homme?
Ce chef, en tuant l'Egyptien,
160 Délivra Israël du joug.

Mais pour nous, sans cesse soumis
Au lourd empire de l'erreur,
Notre chef, blessant l'adversaire,
Chasse la Mort et ses ténèbres.

165 Il[1] lave en l'eau douce son peuple,
Déjà nettoyé par les flots[2]
En passant la mer[3], et le guide
D'une colonne de lumière[4].

Il écrase Amalec d'en haut,
Etendant les bras vers le ciel,
Tandis que combat son armée[5];
170 Ce fut l'image de la croix.

1. Dans ces quatre strophes le poète mélange constamment ce qui peut s'appliquer au Christ et ce qui peut s'appliquer à Moïse et à Josué, préfigurations du Christ. De ce mélange de récit et d'allégorie naît une certaine obscurité, et les commentateurs ne s'entendent guère sur le sens précis du passage. Il nous semble, comme à Arevalo, que *hic* (165-169-173) ne peut désigner que *dux noster* (163), opposé à *dux ille* (159), c'est-à-dire le Christ, comme encore *hic*, *hunc*, *hunc* aux vers 185-189-190. D'autres voient dans le *hic* des vers 165 et 169 Moïse, et dans le *hic* du vers 173 Josué : Josué fut (la préfiguration de) Jésus encore plus véritablement que Moïse. Sur les obscurités de Prudence, cf. notre *Etude*, §§ 1631 sqq.

2. Allusion à la fois à l'eau de Mara (Exode 15, 25) et à celle du baptême.

3. La Mer Rouge.

4. L'Evangile apporté par Jésus guide les chrétiens dans leur vie, comme la colonne de feu guidait les Hébreux dans le désert.

5. Les Amalécites ayant attaqué les Hébreux, Moïse donna à Josué l'ordre de les combattre. Lui-même monta sur une colline. « Lorsque Moïse tenait sa main levée, Israël était le plus fort, et lorsqu'il laissait tomber sa main, Amalec était le plus fort. » La victoire resta finalement aux Hébreux (*Exode*, 17, 8 sqq.).

quem mox sacerdotem sibi
adsumpsit orbis conditor,
per quem notatam saxeis 155
legem tabellis traderet.

Licetne Christum noscere
tanti per exemplum uiri?
Dux ille caeso Aegyptio
absoluit Israel iugo; 160

at nos subactos iugiter
erroris imperio graui
Dux noster hoste saucio
mortis tenebris liberat.

Hic expiatam fluctibus 165
plebem marino in transitu
repurgat undis dulcibus,
lucis columnam praeferens.

Hic proeliante exercitu
pansis in altum bracchiis 170
sublimis Amalec premit,
crucis quod instar tunc fuit.

Hic nempe Iesus uerior,
qui longa post dispendia
uictor suis tribulibus 175
promissa soluit iugera,

155 Exod. 24, 12 || 159 Exod. 2, 12 ; Act. 7, 24-25 || 167 Exod. 15, a25 || 168 Exod. 13, 21 || 170 Exod. 17, 12

a. u. *158 incipit denuo M* || 160 israel *PS* : istrahel *Bergman cum A, C a. c.* *rahel *N* israhel *cett.* || 166.7 *desunt in M*

Il est le Josué plus vrai [1],
Qui, après de bien longs délais,
175 Victorieux, distribua
A son peuple les champs promis ;

Et, quand le fleuve eut reflué,
Fixa, affermit dans son lit
Les pierres, au nombre de douze,
180 Qui représentaient les apôtres [2].

A bon droit les Mages témoignent
Qu'ils ont vu le chef de Juda,
Car les actes des chefs d'antan
Ont bien préfiguré le Christ.

185 C'est lui le roi des anciens Juges,
Chefs de la race de Jacob ;
Le roi de l'Eglise maîtresse,
Du temple antique et du nouveau.

L'adorent les fils d'Ephraïm,
190 De Manassé la maison sainte ;
Toutes les tribus le vénèrent,
Qui descendent des douze frères.

La race dégénérée, même,
Qui suivait un rite grossier,
195 Et qui, dans des fourneaux ardents,
Avait fondu des Baals [3] cruels,

1. *Iesus* signifie à la fois Jésus et Josué. Cf. Vulgate, *Eccli.* 46, 1. Le Christ a fait entrer ses fidèles au Paradis, comme Josué avait fait entrer les Hébreux dans la Terre Promise. Il remplit un rôle définitif, dont celui de Josué n'était que la préfiguration. De là l'expression : *plus vrai*.

2. Ce détail ne s'applique qu'à Josué. Le sens de ces deux strophes est en somme : Josué fut une préfiguration du Christ.

3. Mis ici pour *idole* en général.

qui ter quaternas denique
refluentis amnis alueo
fundauit et fixit petras,
apostolorum stemmata. 180

Iure ergo se Iudae ducem
uidisse testantur magi,
cum facta priscorum ducum
Christi figuram pinxerint.

Hic rex priorum iudicum, 185
rexere qui Iacob genus,
dominaeque rex ecclesiae,
templi et nouelli et pristini.

Hunc posteri Efrem colunt,
hunc sancta Manasse domus, 190
omnesque suspiciunt tribus
bis sena fratrum semina.

Quin et propago degener,
ritum secuta inconditum,
quaecumque dirum feruidis 195
Bahal caminis coxerat,

fumosa auorum numina,
saxum, metallum, stipitem,
rasum, dolatum, sectile,
in Christi honorem deserit. 200

177 Ios. 4, 3 || 188 Hebr. 9, 11

184 pinxerint : finxerint *VNE*

Abandonne, en l'honneur du Christ,
Les dieux enfumés des aïeux,
En pierre, en métal, ou en bois,
200 Objets polis, sculptés, coupés.

Peuples, réjouissez-vous tous,
Judée et Rome, Grèce, Egypte,
Et vous, Thraces, Perses et Scythes :
Un seul roi règne sur vous tous.

205 Célébrez donc tous votre prince,
Les heureux et les malheureux,
Les forts, les faibles et les morts :
Désormais il n'est plus de mort.

Gaudete, quidquid gentium est,
Iudaea, Roma et Graecia,
Aegypte, Thrax, Persa, Scyta :
rex unus omnes possidet.

Laudate uestrum principem' 205
omnes, beati ac perditi,
uiui, inbecilli ac mortui ;
iam nemo posthac mortuus.

205 Phil. 2, 10-11

finit KATHMHRINON prudentii clementis liber ΑΠѠΘΗΟCΙC ncipit ymnus de trinitate *C;* finit KATHMHRINON incipit liber ΑΠѠΘΗΟCΙC .i. de diuinitate *Dm*[2] ; finit cathemerinon incipit apostheoses *B*; aur finit cathemerinon prudentii clemen incipit apotheoses *N*; finit cathemerinon prudentii clementis C̄VC̄V incipit de opusculis suis per Immolat patri deo *cet. OS; subscriptio deest in AVPEM.*